HOMEM SEM AMARRAS

HOMEM SEM AMARRAS

DEIXE-O VIVER!

T. D. JAKES

Vida
EDITORA VIDA
Rua Conde de Sarzedas, 246 — Liberdade
CEP 01512-070 — São Paulo, SP
Tel.: 0 xx 11 2618 7000
atendimento@editoravida.com.br
www.editoravida.com.br
@editora_vida /editoravida

HOMEM SEM AMARRAS
©1995, by T. D. Jakes
Originalmente publicado nos EUA
com o título *Loose That Man & Let Him Go! With Workbook*
Edição brasileira ©2011, Editora Vida
Publicação com permissão contratual da BETHANY HOUSE PUBLISHERS, uma divisão de Baker Publishing Group (Grand Rapids, Michigan, 49516, EUA)

Todos os direitos desta edição em língua portuguesa são reservados e protegidos por Editora Vida pela Lei 9.610, de 19/02/1998.

É proibida a reprodução desta obra por quaisquer meios (físicos, eletrônicos ou digitais), salvo em breves citações, com indicação da fonte.

∎

Exceto em caso de indicação em contrário, todas as citações bíblicas foram extraídas da *Nova Versão Internacional* (NVI)
©1993, 2000, 2011 by *International Bible Society*, edição publicada por Editora Vida.
Todos os direitos reservados.

Todas as citações bíblicas e de terceiros foram adaptadas segundo o Acordo Ortográfico da Língua Portuguesa, assinado em 1990, em vigor desde janeiro de 2009.

∎

As opiniões expressas nesta obra refletem o ponto de vista de seus autores e não são necessariamente equivalentes às da Editora Vida ou de sua equipe editorial.

Editor responsável: Sônia Freire Lula Almeida
Editor-assistente: Gisele Romão da Cruz
Tradução: Marson Guedes
Revisão de tradução: Andrea Filatro
Revisão de provas: Josemar de Souza Pinto
Projeto gráfico e diagramação: Karine dos Santos Barbosa
Capa: Arte Peniel

Os nomes das pessoas citadas na obra foram alterados nos casos em que poderia surgir alguma situação embaraçosa.

Todos os grifos são do autor, exceto os indicados.

1. edição: ago. 2011
1ª reimp.: nov. 2012
2ª reimp.: abr. 2018
3ª reimp.: mar. 2019
4ª reimp.: jan. 2020
5ª reimp.: mar. 2024

Dados Internacionais de Catalogação na Publicação (CIP)
(Câmara Brasileira do Livro, SP, Brasil)

Jakes, T. D.
  Homem sem amarras: deixe-o viver! / T. D. Jakes; traduzido por Marson Guedes. — São Paulo: Editora Vida, 2011.

  Título original: *Loose That Man & Let Him Go! With Workbook*
  ISBN 978-85-383-0212-4
  e-ISBN 978-65-5584-181-7

  1. Homens - Conduta de vida 2. Paternidade (Teologia cristã) 3. Paternidade - Aspectos religiosos - Cristianismo I. Título.

11-05927   CDD-248.842

Índice para catálogo sistemático:

1. Homens : Guias de vida cristã : Cristianismo 248.842

DEDICATÓRIA

Este livro é dedicado à memória de meu pai, o reverendo Ernest L. Jakes Sr.; a meu irmão Ernest L. Jr., cuja presença no mundo tornou a vida mais rica e plena para mim; e especialmente a meus três filhos — Jamar, Jermaine e T. D. Jr. — cujo destino tem sido uma chama ardente em meu coração. Sei que eles ainda são manuscritos a serem finalizados e canções a serem cantadas. Ao mundo declaro: preparem-se, pois eles estão sendo impressos neste exato momento e logo serão publicados. Essa leitura valerá a pena!

NOTA AO LEITOR

À MEDIDA QUE LER ESTE livro, separe tempo para responder às perguntas do guia de estudo que começa ao final de cada capítulo. Elas ajudarão você a extrair o máximo deste material.

Algumas das perguntas requerem uma resposta pessoal que só você pode apresentar. Não existem respostas certas ou erradas.

Outras perguntas tratam de algo que o bispo Jakes ensinou ao longo do capítulo. Caso você não tenha certeza de qual é a resposta certa, pode encontrá-la no Gabarito da página 282.

Sumário

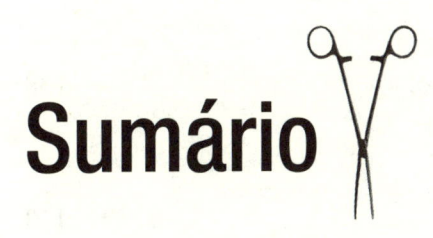

Capítulo 1
Quando eu era menino   **11**

Capítulo 2
Deixem vir a mim as crianças   **25**

Capítulo 3
Confrontando o menino dentro de você   **38**

Capítulo 4
Quando me tornei homem   **62**

Capítulo 5
A festa está rolando   **85**

Capítulo 6
Quando o fardo não é leve   **98**

Capítulo 7
Casamento: missionários ou homens?   **111**

Capítulo 8
Homens poderosos também precisam de descanso 125

Capítulo 9
Você ainda é meu filho! 138

Capítulo 10
Pais substitutos 150

Capítulo 11
O melhor amigo do homem 166

Capítulo 12
A síndrome de Saul 185

Capítulo 13
Quando nos vestem com roupas que não servem 200

Capítulo 14
Se cair, caia de joelhos! 221

Capítulo 15
Vivendo como um homem sem amarras 250

Uma palavra final 270
Seleção de orações para homens 274
Gabarito 282

Quando eu era menino

Capítulo 1

> Quando eu era menino, falava como menino, pensava como menino e raciocinava como menino. Quando me tornei homem, deixei para trás as coisas de menino. (1Coríntios 13.11)

Todo homem, grandioso ou comum, famoso ou anônimo, entra no mundo de maneira traumática e começa a perceber o ambiente que o cerca por meio dos olhos de uma criança. É durante esses anos afáveis que ele experimenta o início de sua masculinidade.

Nosso desenvolvimento como homens é moldado pelas coisas com as quais deparamos na infância. Nossa masculinidade é definida pelo pai que temos e pelos relacionamentos que estabelecemos. Os distúrbios da vida adulta também são formados ou influenciados pela presença — ou ausência — de nossos progenitores. Quais dolorosas memórias da infância assombraram o jovem Adolf Hitler? Quem tocou a vida de Martin Luther King Jr. ou de Abraham Lincoln? Que dores ou sonhos de infância moldaram os pensamentos de Malcolm X e Mahatma Gandhi?

A ausência do pai pode levantar uma pergunta insistente em nossa mente, uma ideia horripilante: *Talvez eu tenha feito algo, ou deixado de fazer, e isso o levou a partir*. Aprendemos cedo a arte da supressão, enterrando bem no fundo as perguntas dolorosas e a sensibilidade original que é tão facilmente ferida. Suprimimos a criatividade natural que brota de uma mente investigadora à medida que deparamos com a dor de ouvir continuamente "Fique quieto! Não tenho tempo para você".

O pai é nossa primeira definição e demonstração de masculinidade. Infelizmente, nosso modelo paterno tem feito que muitos de nós identifiquem masculinidade com ausência, irresponsabilidade, silêncio taciturno ou violência. Todos os frutos de nossa masculinidade estão arraigados na infância: nossa autoestima, a consciência de quem somos, nossa sexualidade e nossas preferências. Tudo isso está profundamente plantado no solo de nossas primeiras memórias, experiências e definições.

Deus planta uma mente infinitamente curiosa dentro de cada criança e adolescente. À medida que crescem, muitas crianças tendem à indiferença e ignorância, enquanto outras se rendem ao debouche e à punição, e, em algum momento, a maioria delas finalmente sucumbirá a uma "educação formal" que lhe sufocará a fome natural por conhecimento.

A mente jovem nunca para de coletar informações por meio dos sentidos e processa constantemente suas percepções. Qual percepção você imagina que as crianças judias tiveram no dia em que Jesus, o jovem rabino, repreendeu os homens que afastavam dele os pequeninos? O que passou pela cabeça desses pequenos ao ouvir Jesus dizer: "Deixem vir a mim as crianças, não as impeçam" (Marcos 10.14)? Quantas vidas e quantos destinos foram mudados para sempre por causa de seu abraço carinhoso e seu amor incondicional naquele dia?

No interior de cada homem habita o menino que o precedeu. A masculinidade está enraizada na infância, e muitos dos pensamentos que eu e você temos hoje se originaram em nossas mais remotas experiências. Talvez você sinta tristeza ao ler estas palavras, caso seja um dos milhares que se retraem involuntariamente só de ouvir as palavras *pai*, *papai* ou *papa*. Para você, elas representam dor e perda.

EU FALAVA COMO MENINO

Minha mãe me ouvia bem de perto quando eu falava. Hoje entendo que *a atenção dispensada por minha mãe dignificava minha opinião*. Suas ações confirmavam que eu tinha valor e era importante. Quando me escutava com cuidado e paciência, ela valorizava minha forma de pensar e enriquecia minha autoestima, fazendo-me acreditar que minhas opiniões eram importantes. Independentemente de mamãe concordar ou não com o que eu dizia, o que me empolgava era que ela me dava ouvidos.

Jesus *falava* quando era menino. De acordo com Lucas 2.46-47, ele entrou no templo e passou cinco dias conversando com os principais doutores da lei quando não passava de um adolescente! A Bíblia diz que esses eruditos ficaram "maravilhados com o seu entendimento e com suas respostas" (Lucas 2.47). Se você quiser saber quem é uma pessoa, ouça o que ela diz! Pois "a boca fala do que está cheio o coração" (Lucas 6.45). Jesus começou cedo a aperfeiçoar a arte da expressão, e mesmo os principais mestres de seus dias lhe deram ouvidos. Que impulso isso deve ter sido para sua autoestima! Existe algo no expressar dos pensamentos que areja a mente e põe em ordem os recônditos do intelecto.

Minha mãe estimulava minha criatividade ouvindo-me expressar meus pensamentos. Sua atenção significava respeitar minha opinião, algo que conservo até hoje. Estou preocupado porque, neste nosso mundo atarefado, *as crianças sabem que não estão sendo ouvidas, e a pressão está aumentando cada vez mais.*

Infelizmente, muitas vezes os pais não nos ouvem. Também nem sempre damos ouvidos a nossos filhos e não prestamos atenção uns aos outros. Assim, criamos uma geração de homens irritados. Por sua vez, esses mesmos homens carregam sua raiva interior para dentro do casamento crendo que ninguém os ouvirá. Essa raiva consumidora vem à superfície na forma de violência, introversão, perversão ou pura autodestruição! A autoestima e a integridade desses homens foram destruídas porque eles sentem que foram amordaçados. Sofrem como prisioneiros trancafiados numa concha de ultraje e desespero.

Como pais, pastores e líderes, em geral nós próprios nos sentimos extremamente pressionados, mas *ainda assim precisamos ouvir*! Homens que praguejam e xingam, ou mesmo que se mostram violentos, não passam de meninos crescidos tendo um acesso de raiva porque se sentem fora de controle. Estão frustrados porque "a vida não os está ouvindo"!

"Quando eu era menino, falava como menino" (1Coríntios 13.11). Todos nós precisamos ter a capacidade de comunicar nossos pensamentos e expressar nossos sentimentos. Jesus disse: "Mas as coisas que saem da boca vêm do coração, e são essas que tornam o homem 'impuro'" (Mateus 15.18). Se existe algo pior do que a raiva, a frustração e outras coisas negativas que saem de nós, são as coisas que não saem! Feridas ulceradas são as mais perigosas. O ruído surdo e prolongado de um vulcão é um prenúncio temerário, um aviso solene de que uma erupção se aproxima e pode lançar destruição sobre todos os que vivem à sua sombra.

Muitos homens perdem a capacidade de comunicação durante a infância. Quando éramos jovens, disseram-nos o que era "adequado" fazer (ou o que era apenas *conveniente*?). "Fique sentado no canto e em *silêncio*!" Agora, adultos, sentimos o resfolegar de paixões incontroláveis, de frustração e raiva movendo-se dentro de nós, e não podemos falar. Não conseguimos comunicar-nos. Estamos a ponto de explodir, mas não ousamos chorar! Estamos magoados demais para rir. A única emoção que nos é permitido expressar é a *raiva*! (Por que será que a raiva é a principal emoção atribuída ao *gênero masculino*?)

A criança enraivecida que pega um martelo e despedaça um brinquedo logo se torna o adulto que soca as paredes e atormenta a esposa até ela descer precocemente à sepultura. Muitas vezes esse tipo de raiva é alimentado pela incapacidade de converter os pensamentos em palavras. É vital para os homens dar vazão às suas emoções e frustrações por meio dos canais apropriados, pois, quando eles não conseguem fazer isso, tudo entra em colapso. Não há vitória, além da vitória do inimigo da alma masculina.

PENSAVA COMO MENINO

O *pensamento* é o processo "digestivo" de nossa mente. É o estágio em que passamos a solucionar problemas e formular conclusões. Paulo disse que, quando era criança, tinha a compreensão de uma criança. Caso, sendo adultos, nossa compreensão permanecer elementar e infantil, podemos chegar a conclusões imaturas. A sabedoria infantil pode ser a mais perigosa de todas, especialmente na mente de um adulto ferido.

Muitas crianças que cresceram em lares desfeitos se culpam, em algum momento de sua vida, pela separação dos pais. Muitos tentam assumir a culpa e a responsabilidade por terem sido criados de maneira trincada e carregam cicatrizes terríveis por causa de suas conclusões e compreensões infantis. Nós flertamos com o desastre quando transportamos nossas percepções infantis para dentro de relacionamentos adultos.

Percepções e conclusões distorcidas da infância com frequência são um criadouro para pensamentos de inadequação. Tais percepções e conclusões produzem uma história de vida dominada pela insegurança. Neste exato momento, eu e você ainda carregamos as feridas causadas pelas frases cortantes de outras crianças que nunca souberam que suas zombarias tinham poder letal! Até mesmo nossa sexualidade é afetada pelos primeiros encontros e acontecimentos. Muitos homens adultos recriam os ambientes de sua infância temerosa e torcida em suas fantasias adultas. Permanecem enrodilhados a pesadelos intermináveis de paixões sórdidas e volúpias insaciáveis.

É comum construirmos camadas protetoras de negações, mentiras e ilusões em torno de nossas dores secretas — assim como acontece com as pérolas, que não passam de um crescimento anormal de secreções em camadas em torno de objetos estranhos e irritantes no *coração* das ostras — até que algo obrigue o tema a emergir. Um dia as circunstâncias da vida forçarão a concha a se abrir e exporão os segredos à vista de todos.

Nossas necessidades e preferências são uma composição de nossas experiências e nossos encontros na primeira infância: um vislumbre de pele nua furtivamente roubado de alguém que saía do banho, um toque de ternura, uma carícia proibida, uma sensação de prazer fugaz. A nostalgia que molda as questões adultas brota de uma memória já com 30 anos despertada por uma colônia com cheiro doce, por um toque de pele quente, ou pela carícia suave de um cabelo sedoso passando pelo rosto. Queira ou não a igreja lidar com isso, a maioria dos homens está envolvida em pensamentos de menino que escaparam de sua infância e entraram na vida adulta, assim como o vapor escapa da água do banho quente.

Se a sexualidade for sabotada logo no começo da vida, pode torcer e influenciar grandemente a percepção que um homem tem de todas as questões relacionadas ao sexo e à personalidade.

"Eu *pensava* como menino." Que poderosa afirmação! O que é normal para um menino pode ser fatal para um homem que ainda *pensa* como menino. As roupas são maiores, e o corpo cresceu. Adulto, ele tem mais cabelos, os bíceps estão mais desenvolvidos e já não é um bebê: agora ele faz bebês. A despeito do tamanho, sua compreensão infantil o reduz à estatura de um *anão*. O "nanismo psicogênico" é um conceito psicológico usado para descrever crianças que não cresceram por não terem sido estimuladas, tocadas ou cuidadas. A falta de amor e de contato físico provoca literalmente uma deficiência física. Milhões de homens são "nanicos" em suas emoções e personalidade porque foram privados de amor e afeição quando meninos.

Embora os homens tenham "brinquedos", muitos deles os usam para não revelar a dor e a vergonha. Eles têm os brinquedos e também as expressões elaboradas e a ostentação que os acompanham, mas os brinquedos estão relacionados à cultura.

Poucas pessoas em nosso país entendem que há pouca diferença entre um executivo de terno e gravata que faz um *happy hour* no mais famoso bar da cidade e volta para casa cambaleante e um homem jogado na esquina, vestido com um *jeans* sujo e camiseta rasgada, bebendo direto do gargalo de uma garrafa. *É o mesmo vício*. Um dos viciados simplesmente se veste melhor que o outro. As diferenças são apenas econômicas, sociais e culturais. Um joga num iate, e o outro, numa quadra de basquete. Talvez os dois estejam tentando fugir usando brinquedos. Um paga mais caro pelo brinquedo, mas no final ambos fracassam em fugir.

Bem, não há nada de errado com brinquedos de adultos, mas precisamos saber com qual finalidade usamos nossos brinquedos. Alguns usam os brinquedos para identificação ou para impressionar as pessoas, enquanto outros usam brinquedos para fugir da realidade.

Existe algo universalmente comum na masculinidade: não somos tão diferentes uns dos outros. Não importa se somos asiáticos, caucasianos, hispânicos, índios ou afrodescendentes, se temos estudo ou somos analfabetos. As necessidades básicas são as mesmas, e nossa habilidade de expressão depende da "quantidade de bolinhas de gude no saquinho". Se temos mais bolinhas de gude, mais coisas podemos fazer.

O livro de Provérbios nos adverte com os escritos veementes de um sábio pai tentando poupar seu filho dos perigos do "demais e do muito rápido". Muitos de nós não lemos estas palavras a tempo. Não tivemos um pai com paciência ou sabedoria suficiente para nos poupar do sofrimento. Somos tragados pelo excesso. Nossa cabeça é inebriada com o turbilhão de emoções descontroladas, despertadas cedo demais e em quantidades exageradas, e nunca conseguimos resolver os conflitos que se enfurecem dentro de nós.

Não é possível aproveitar o potencial do adulto até ter a força do menino. Alguém precisa salvar o menino que existe dentro de nós, e os meninos que criaremos como pais! Eles estão sendo destruídos diante de nossos olhos. Estão morrendo nos tribunais de nosso país, e matando uns aos outros nas ruas de nossas cidades.

Nossa própria infância trincada transformou a vida de nossos meninos em impensáveis histórias de horror, gerando mais crimes e assassinatos do que jamais se testemunhou na História! O apóstolo Paulo nos advertiu em Efésios 6.4: "Pais, *não irritem seus filhos*; antes criem-nos segundo a instrução e o conselho do Senhor" (grifos nossos). Teremos abusado tanto de nossos meninos que agora eles se levantam com ira para nos matar?

RACIOCINAVA COMO MENINO

Nunca na História sentimos tanto medo de nossos próprios filhos! Homens adultos têm medo de andar no meio de um aglomerado de pré-adolescentes e adolescentes na cidade. Os jovens ficaram tão enraivecidos que chegam a intimidar os adultos. Avós estão sendo mortas por netos ferozes que as amarram no porão e põem fogo nelas! O noticiário mostra cada vez mais atrocidades cometidas por adolescentes que parecem estrelar romances góticos de horror ou pesadelos vindos do inferno, mas isso está mesmo acontecendo entre nós. Sentamos numa cadeira confortável e assistimos à televisão enquanto um menino de 13 anos encara júri e juiz, e recebe uma sentença de prisão perpétua sem derramar uma lágrima. *Preocupados com nossas próprias dores, criamos monstros em nossos filhos.* Esta praga transcende os limites raciais e sociais. Dos abastados jovens Menendez na rica Califórnia — que mataram os próprios pais — aos "garotos da periferia" nos guetos urbanos, o espírito da raiva transcende a cultura. Nós nos tornamos homens enraivecidos e frustrados e demos à luz uma geração que é mais raivosa do que nós.

Recebemos responsabilidades demais e com muita rapidez. Vemos coisas demais. Ouvimos coisas demais. Assistimos às apalpadelas de corpos enlaçados no horário nobre da TV e ouvimos os gemidos vindos do quarto de nossos pais à noite. Desafiamos as mentes infantis com assuntos de homens.

A mente de uma criança não deveria passar pelo estresse de questões cruéis como assédio, abuso ou violência doméstica. Esta compressão produz uma hérnia mental que é visível no caráter dos jovens pelo resto de sua vida! Muitos jovens seguiram os passos dos pais e caíram na promiscuidade, acreditando ser natural definir sua masculinidade por meio de uma sexualidade extrema. "Não foi o que o papai fez?" Como muitos dos outros excessos e fugas, essa postura não passa de uma droga usada com demasiada frequência para aliviar uma dor que não desaparece. Isso somente mascara os sintomas sem curar aquilo que gera a dor.

Praticamente todos os problemas da sociedade se inflamaram pela raiva descontrolada que arde dentro de nossos jovens. O racismo está à solta porque os homens estão com raiva. A violência invade escolas, casas e programas de televisão. Mesmo as exigências "politicamente corretas" do movimento feminista foram varridas de lado por uma nova onda de sexualidade crua e raivosa que explora e degrada abertamente homens e mulheres. Sempre que os homens sentem raiva, procuram alguém para culpar. Adão deu o exemplo culpando Eva por ter desobedecido a Deus no jardim do Éden (v. Gênesis 3.12). Sempre que formos capturados ou nos sentirmos aprisionados, jogamos a culpa em outra pessoa. Uma geração inteira ficou presa num buraco de raiva e frustração, e alguém precisa levar a culpa.

As pessoas desta geração olham umas para as outras e dizem: "Por sua causa entrei nesta vala!". Os brancos dizem: "Os negros estão pegando todos os empregos, obrigando-nos a ficar de fora! Como sou branco, não consigo um emprego por causa do programa de cotas. Estou com raiva. Devíamos acabar com esses programas estúpidos!". Enquanto isso, os negros dizem: "Não conseguimos arrumar emprego decente por causa dos brancos. É culpa dos brancos não conseguirmos ganhar a vida, porque sofremos discriminação todos estes anos". Os imigrantes dizem: "Nada disso. A verdade é que...". E assim prosseguem a discussão, a troca de acusações e a infantil delação mútua.

Todo mundo está com raiva. Nós nos ferimos com a guerra invejosa e infantil de palavras. Nossa cultura tornou-se enraivecida porque provocamos nossos filhos à ira. Como um filho consegue esquecer a cena que reprisa em sua mente dia e noite, a imagem de sua mãe enraivecida enxugando as lágrimas enquanto o pai resmunga e atira o copo na parede? Será que ele irritou o pai esta tarde? Sua mãe ficou chateada porque ele não conseguiu agradar ao pai e acalmá-lo? Certamente ele poderia ter feito algo para consertar o que deu errado...

Quem pode apagar a vergonha e a raiva ardente do garoto que tem horror ao ônibus da escola? Vinte anos depois ele ainda pode sentir os golpes cruéis, os xingamentos, a ira flamejante nos olhos dos agressores... o que ele fez para merecer isso? Sejam quais forem os motivos, esse garoto — agora habitando uma estrutura de quase 130 quilos de músculos, ossos e força — não consegue controlar a raiva ardente e o ódio que sente toda vez que vê um membro daquela raça. Só ele sabe que quer revidar muitas e muitas vezes, até que a dor desapareça. É por isso que ele está preso.

Essas entranhadas sensações de dor infantil nunca nos abandonam. Acompanham-nos pela vida inteira, mesmo quando nossos papéis mudam. Nós crescemos e aprendemos a esconder melhor nossos sentimentos, mas por dentro o garotinho continua intimidado. Ainda estamos temerosos. Ainda sentimos a força do valentão sobre nós. A criança não quer lidar com os pensamentos secretos que todos ignoram. No entanto, muitas vezes os pensamentos secretos abrem espaço à força e chegam à superfície, conferindo premência ao tema.

O que inclina um homem de 40 anos a repentinamente descobrir certa noite, deitado na cama, que *ele precisa ser abraçado*? A vida inteira ele foi o "abraçador". De repente, o machão volta-se para a esposa e pede: "Por favor, apenas me dê um abraço". Quando a dor atravessa essas camadas, somos derrubados e forçados a encarar um fato inquietante: ainda há um garotinho ali. Não conseguimos divorciar-nos de nossa necessidade interna. E o que traz alívio?

Sociedade, vocês me permitiriam ser quem eu sou sem categorizarem o que veem? Preciso viver à altura de uma imagem que vocês criaram para que eu me conformasse a ela? Vocês não conseguem aceitar o fato de que sou uma combinação de diferentes distúrbios amarrados dentro de uma única habitação?

Tudo o que eu expresso, falo e compreendo se relaciona a minha infância. Você nunca compreenderá o homem que sou por fora enquanto não tocar a criança dentro de mim. Esposas, cuidado. Filhos, cuidado. Pastor, cuidado. Se vocês nunca desenvolverem empatia pelo garotinho dentro de mim — que segura um cobertor e chupa o dedo na porta, observando todo mundo sair —, nunca compreenderá meu comportamento errático como homem no emprego, ou na cama, ou com meus próprios filhos e filhas. "Quando eu era menino, falava como menino, pensava como menino e raciocinava como menino..." (1Coríntios 13.11).

REVISÃO

1. Nosso desenvolvimento como homens é moldado pelas coisas com as quais deparamos na _____.
2. O pai é nossa primeira _____ e _____ de masculinidade.
3. Um modelo de comportamento paterno sofrível pode fazer que um menino identifique masculinidade com _____, _____, _____ ou _____.
4. Faça uma lista de quatro coisas que um menino recebe quando é ouvido pelos pais.
    a. _____
    b. _____
    c. _____
    d. _____
5. Faça uma lista de quatro coisas que acontecem a um menino quando ele não é ouvido em casa.
    a. _____
    b. _____
    c. _____
    d. _____
6. Houve alguma pessoa em sua infância que realmente separou tempo para ouvir você? _____. Em caso afirmativo, quem foi? _____. Como isso o afetou?
    _____
    _____
    _____
7. Verdadeiro ou falso: Muitos homens perdem a capacidade de comunicação durante a infância. _____
8. A única emoção que é permitido aos homens expressar é a _____.
9. Muitas vezes a raiva de um homem é alimentada pela incapacidade de converter os _____ em _____.
10. É vital para os homens dar vazão às suas _____ e _____ por meio dos canais apropriados.

11. Percepções e conclusões distorcidas da infância com frequência são um criadouro para pensamentos de _____. Tais percepções e conclusões produzem uma história de vida dominada pela _____.
12. O que é normal para um menino pode ser fatal para um homem que ainda pensa como menino. A despeito do tamanho, sua compreensão infantil o reduz à estatura de um _____.
13. Verdadeiro ou falso: Muitas de nossas necessidades e preferências adultas foram moldadas por pensamentos que tivemos quando meninos e escaparam da nossa infância para entrar em nossas fantasias adultas. _____
14. Quando a mente de uma criança é agredida por questões cruéis como assédio, abuso ou violência doméstica, isso gera cicatrizes permanentes em seu _____.
15. Muitos jovens seguiram os passos dos pais e caíram na promiscuidade, acreditando ser natural definir sua masculinidade por meio de uma _____.
16. A dor entranhada da infância nunca nos abandona. Nós crescemos e aprendemos a _____ melhor nossos _____, mas por dentro o garotinho continua intimidado.
17. Para compreender integralmente o comportamento errático de um homem, o que precisam aprender as esposas, filhos, pastores, chefes e aqueles que o cercam? _____
_____
_____

MAIS UM DESAFIO: Quais características de seu pai ajudaram você a desenvolver-se como um homem piedoso? _____
_____.
Existem características que podem ter prejudicado você? _____
_____
_____
_____

Deixem vir a mim as crianças

Capítulo 2

"Deixem vir a mim as crianças, não as impeçam; pois o Reino de Deus pertence aos que são semelhantes a elas. Digo-lhes a verdade: Quem não receber o Reino de Deus como uma criança, nunca entrará nele." (Marcos 10.14,15)

Muitas vezes, enterrado e reprimido sob uma fachada de hombridade, nosso medo se origina numa criança trêmula, raivosa e confusa, cujas frustrações e inseguranças estão cobertas por músculos, suor e cabelo. É comum que, debaixo de nossa masculinidade tempestuosa, existam questões que precisem ser confrontadas.

Para onde as criancinhas dentro de cada de nós podem ir senão para Deus? Jesus declara que o Reino é formado por crianças, não apenas pelos jovens em termos cronológicos, mas até mesmo pelas crianças que habitam um corpo adulto.

"Não as impeçam; pois o Reino de Deus pertence aos que são semelhantes a elas." Qualquer pastor dirá que o Reino é um grande parque de diversões lotado de crianças com distúrbios que só encontram conforto na presença de Deus. Isso não significa que esse Reino é simplesmente um ajuntamento de fracassados que não suportam os bem-sucedidos. Não. *Todos os homens*, de alguma maneira, são fracassados porque são incompletos, e nunca seremos curados enquanto não nos aproximarmos de Deus *como crianças*.

No Reino não existe lugar para machões tentando impressionar uns aos outros com uma coleção de "brinquedos" ou "posses". Não importa se esses brinquedos são carros, bíceps, garotas, membros de igreja ou comprovantes de depósito. Precisamos confrontar a criança dentro de nós antes que possamos apreciar o homem.

O QUE PODERIA TER SIDO...

> Certa ocasião Davi perguntou: "Resta ainda alguém da família de Saul a quem eu possa mostrar lealdade, por causa de minha amizade com Jônatas?"
> Então chamaram Ziba, um dos servos de Saul, para apresentar-se a Davi, e o rei lhe perguntou: "Você é Ziba?"
> "Sou teu servo", respondeu ele.
> Perguntou-lhe Davi: "Resta ainda alguém da família de Saul a quem eu possa mostrar a lealdade de Deus?"
> Respondeu Ziba: "Ainda há um filho de Jônatas, aleijado dos pés".
> "Onde está ele?", perguntou o rei.
> Ziba respondeu: "Na casa de Maquir, filho de Amiel, em Lo-Debar".
> Então o rei Davi mandou trazê-lo de Lo-Debar.
> (2Samuel 9.1-5)

Mefibosete é uma de minhas personagens bíblicas favoritas. O nome dele é um trava-língua, mas nem chega perto de ser tão enrolado quanto sua vida. Ele é descrito na Bíblia como um aleijado dos dois pés. Sua história é trágica porque *ele poderia ter sido, ele deveria ter sido,* rei sobre Israel! Mefibosete era neto de Saul, o primeiro rei de Israel. Deveria ter sido um líder forte, atraente e viril como foi Jônatas, seu pai. Em vez disso, quando encontramos Mefibosete, vemos uma vítima deformada, ferida e incapacitada, cujos tornozelos quebrados e membros tortos o exilaram para um terrível lugar chamado "Lo-Debar".

Os eruditos rabínicos dizem que *Lo-Debar*, quando traduzido literalmente do hebraico, significa "local sem comunicação" (*lo* significa "não", e *debar*, ou *devar*, significa "palavra").

Mefibosete era um príncipe deposto e desfigurado de uma casa decaída de reis, expulso do palácio real para viver num "local sem comunicação". Esse jovem deformado perdeu seu direito de herança sem dizer uma única palavra nem realizar um único ato maligno. Ele completara 5 anos de idade quando foi sepultado numa terra de silêncio, separado de seu pai e de seu destino, e abandonado aos sonhos do que poderia ter sido!

Você já esteve em Lo-Debar?

Não é impressionante como o quebrantamento numa área pode roubar-nos do sucesso devido e aprisionar-nos num vale de remorso, um lugar silencioso onde ninguém ouve nossa dor nem alivia nosso pesar?

"*Eu poderia ter sido... eu deveria ter sido.*" Mefibosete poderia ter sido um rei, mas havia um problema em sua vida. Ele *teria alcançado grandeza*, mas existia uma área que parecia estar além de seu controle. Havia algo errado com sua mente. Ele podia dizer para suas pernas andarem, mas havia um obstáculo entre a ordem e a ação. Ele queria andar, mas não podia, não conseguia realizar o que queria. Estava desfigurado e privado de sua plena capacidade.

Talvez eu e você não tenhamos empatia com relação à deficiência física de Mefibosete, mas todos nós temos algum tipo de deficiência. Podemos dar uma ordem mental, mas isso simplesmente não se realiza em nossa vida. Nossa deficiência pode deixar-nos em Lo-Debar, amordaçados, desamparados e solitários, quando *poderíamos ter sido* — e *deveríamos ter sido* — reis sentados em palácios.

Mefibosete era filho de Jônatas e neto de Saul. Era o único herdeiro que sobreviveu, o único descendente da primeira família real de Israel. Deveria ter sido tratado com esmero para ser rei de Israel, mas, em vez disso, seu pai morreu tragicamente na guerra, e ele foi abandonado em Lo-Debar, lugar aos pedaços e remoto —, teve sua coroa arrancada e seu espírito ferido, tornando-se um prisioneiro de sua própria enfermidade. No entanto, a única coisa errada com Mefibosete era o fato de ser aleijado dos dois pés.

O miserável Mefibosete é uma descrição vívida de nós mesmos, tentando desesperadamente lidar com nossas deficiências internas, sem deixar ninguém saber "o que acontece lá dentro". Mefibosete é o modelo de todo homem que deveria ter chegado *aqui*, mas, em vez disso, acabou chegando *lá*. O motivo de os homens terminarem em Lo-Debar, em vez de num palácio, é que aconteceu algo que os traumatizou de tal maneira a ponto de impedi-los de alcançar a esperança de seu chamado. Nossas deficiências — qualquer que seja a sua forma — nos impedem de alcançar nosso potencial ou de realizar nossos sonhos. Não chegamos a nosso alvo porque uma questão oculta em nossa vida parece deter-nos.

CARREGADO PARA O CHAMADO

> Quando Mefibosete, filho de Jônatas e neto de Saul, compareceu diante de Davi, prostrou-se, rosto em terra.
> "Mefibosete?", perguntou Davi.
> Ele respondeu: "Sim, sou teu servo".
> "Não tenha medo", disse-lhe Davi, "pois é certo que eu o tratarei com bondade por causa de minha amizade com Jônatas, seu pai. Vou devolver-lhe todas as terras

que pertenciam a seu avô Saul, e você comerá sempre à minha mesa".

Mefibosete prostrou-se e disse: "Quem é o teu servo, para que te preocupes com um cão morto como eu?"

Então o rei convocou Ziba e disse-lhe: "Devolvi ao neto de Saul, seu senhor, tudo o que pertencia a ele e à família dele. Você, seus filhos e seus servos cultivarão a terra para ele. Você trará a colheita para que haja provisões na casa do neto do seu senhor. Mas Mefibosete comerá sempre à minha mesa". Ziba tinha quinze filhos e vinte servos.

Então Ziba disse ao rei: "O teu servo fará tudo o que o rei, meu senhor, ordenou". Assim, Mefibosete passou a comer à mesa de Davi como se fosse um de seus filhos.

Mefibosete tinha um filho ainda jovem chamado Mica. E todos os que moravam na casa de Ziba tornaram-se servos de Mefibosete. Então Mefibosete, que era aleijado dos pés, foi morar em Jerusalém, pois passou a comer sempre à mesa do rei. (2Samuel 9.6-13)

Mefibosete já não é mais um menino de 5 anos de idade quando entra em cena no capítulo 9 de 2Samuel. É adulto e tem um filho.

Tudo começou quando Davi chamou Ziba, um antigo servo do rei Saul, e perguntou-lhe se havia alguém da casa de Saul a quem Davi poderia demonstrar bondade. Ziba disse ao rei Davi que um único descendente de Jônatas, seu velho amigo, ainda estava vivo: Mefibosete, o homem com os pés aleijados. Esse príncipe desfigurado morava na casa de outro homem em Lo-Debar, o lugar sem comunicação, a terra do potencial perdido e esquecido. A resposta de Davi foi imediata e enérgica: ele enviou mensageiros, ou talvez o próprio Ziba, para buscar Mefibosete.

Jônatas e Davi eram amigos próximos e irmãos de aliança. A Bíblia mostra claramente que eles tinham o mais íntimo relacionamento de aliança que dois homens podem travar. Davi pretendia manter seu juramento a Jônatas, seu amigo já morto. Por isso o convite que fez a Mefibosete era genuíno e digno de confiança.

Infelizmente, havia um problema. Embora Mefibosete tivesse sido chamado, não poderia ir a Davi sozinho. Alguém precisava buscá-lo. A questão é que muitos de nós fomos chamados, mas não conseguimos atender a nosso chamado porque ficamos distraídos e mutilados com nossa própria desgraça. Ouvimos a voz, mas não conseguimos levantar. Davi enviou o servo Ziba para buscar Mefibosete, tirando-o do "lugar sem comunicação". Nessa cena, sinto que Ziba é um tipo do Espírito Santo, que vem livrar-nos do vale do pesar e da opressão silenciosa.

Lembre-se: quando Ziba encontra Mefibosete, este já é um adulto.

Para Mefibosete chegar ao palácio, Ziba precisa levá-lo para dentro. Este adulto é literalmente carregado como uma criança! Esta é uma imagem muito poderosa. Se olho para a *presença* de Mefibosete, quero deixá-lo andar. Mas, quando olho para seu *problema*, percebo que ele tem de ser carregado. Consigo imaginar Mefibosete caindo, agarrando-se ao manto real de Davi, deitando no chão de um palácio que *deveria ter sido seu*. É a imagem do fracasso.

O fracasso são homens desesperados agarrando-se a relacionamentos, vivendo abaixo de suas prerrogativas, caídos no chão da vida e despidos de respeito próprio e integridade. Estão no lugar certo, mas não na posição correta. Foram violentados e castrados. Alguns foram violentamente estuprados, outros foram molestados secretamente. Alguns se deixaram consumir pelas drogas, outros estão perdidos num mar de alcoolismo que embota a mente. Estes pretensos príncipes tornaram-se mendigos dentro da própria casa, incapazes de se levantar para cumprir seu destino.

Embora Mefibosete estivesse caído no chão, Davi diz algo como: "Bem, preparei a mesa para você...". Mefibosete responde: "Não para mim, meu senhor. Sou um cão morto, não tenho respeito próprio, não sou digno de estar neste lugar".

Esse jovem nasceu numa família de Israel que era aristocrática, nobre, de boa aparência, opulenta, atraente, de alto escalão. Ele *deveria ter sido* alto como seu avô: "Os mais altos batiam nos seus ombros" (1Samuel 9.2). Mefibosete deveria ter tido a boa aparência de Jônatas, o príncipe. O pai de Mefibosete era de tirar o fôlego de tão belo. E por que seu filho rastejava no chão do palácio onde havia nascido? O que aconteceu que o tornou um príncipe trêmulo, estremecido, frágil, esfarrapado e torcido, castrado e ferido? Nascido em lar tão privilegiado, como Mefibosete pôde ficar tão reduzido em termos físicos, emocionais e espirituais?

ALGUÉM ME DEIXOU CAIR!

Muitas coisas contribuíram para o destino de Mefibosete. A Bíblia descreve uma situação que mudou a vida de Mefibosete para sempre. Quando isso aconteceu, ele tinha apenas 5 anos de idade.

Tudo começou como de costume naquele dia. O jovem Mefibosete levantou da cama para andar pelo palácio e brincar depois do café da manhã. A babá o vestiu cuidadosamente, talvez na esperança de que o pai do jovem príncipe voltaria com o rei Saul para contar das vitórias na guerra. No entanto, de acordo com 2Samuel 4.4, algo terrível estava prestes a acontecer.

> [Mefibosete] tinha cinco anos de idade quando chegou a notícia de Jezreel de que Saul e Jônatas haviam morrido. Sua ama o apanhou e fugiu, mas, na pressa, ela o deixou cair, e ele ficou manco. Seu nome era Mefibosete.

A babá do príncipe Mefibosete soube que seu pai e Saul tinham morrido. Depois a Bíblia informa que, no mesmo dia em que Mefibosete perdeu o pai e o avô, sua babá o deixou cair e ele ficou aleijado para sempre! Isso não é justo! Mefibosete não merecia isso, mas mesmo assim aconteceu com ele. Note que *aconteceu algo com esse homem quando ele era criança*, e ele nunca se recuperou! *Alguém o deixou cair.*

Alguém já deixou você cair? "Eu *teria agido com* mais hombridade, mas alguém me derrubou. Peço perdão por não ser tudo o que você espera de mim, mas *alguém me derrubou*. Vejo que, por minha idade e fase na vida, eu *deveria ter* produzido mais, mas, antes de me condenar, *considere* tudo pelo que passei, pois *me deixaram* cair em pleno voo, no meio do processo. Fizeram de mim um incapacitado."

Enquanto outras crianças saíam para brincar, Mefibosete não podia nem se mexer. Enquanto outras crianças subiam nas árvores, ele tinha de ficar dentro de casa. Que danos essa situação causou a sua autoestima, suas emoções, seu autoconceito e sua sexualidade? Ninguém queria sair com o adolescente Mefibosete. Ninguém o achava atraente. Que tipo de mentalidade esquisita e pervertida deve ter começado a envenenar seu espírito como um fungo dentro de sua mente: tudo porque o erro desastrado de uma babá apressada para sempre o privou das experiências naturais de crescimento!

A Bíblia diz que, contra esse pano de fundo de sonhos abortados, o rei ordenou que Mefibosete fosse carregado de Lo--Debar, o "lugar sem comunicação", para *Jerusalém*, "possessão da paz". Ele se mudou para o palácio do rei na colina sudoeste de Jerusalém, chamada de *Sião*, que significa "fortaleza". Mas o que aconteceu? Agora que Mefibosete tinha saído de Lo-Debar, parecia que ele estava "livre", mas sua mente não estava! Seu corpo não estava "livre". Ele continuava tão deficiente quanto antes. Seu problema não estava no local onde ele residia. Ele ainda não sabia quem era: ainda carecia de uma vida normal. Dentro desse homem sofrido vivia uma criança sofrida.

Mefibosete é uma das poucas personagens bíblicas *que nunca foi curada*. Durante toda a vida ele sentiu um desejo ansioso. Durante toda a vida ele foi um ferido. Acho que causamos danos a um monte de gente quando dizemos: "Venha até o altar, irmão, e tudo ficará bem! Junte-se à igreja, e tudo se resolverá. Venha cantar no coral, e tudo acabará bem. Dê o dízimo. Você verá, tudo terminará bem".

A verdade é que algumas de nossas feridas permanecem dentro de nós a vida inteira. Podemos ser mais carentes, frágeis, dependentes e vulneráveis do que as outras pessoas porque sofremos um dano grave. Jesus ainda tem as cicatrizes da cruz, e não somos diferentes do nosso Mestre.

Se eu sofrer um acidente de carro e esmagar minha perna, a perna pode ser curada e posso até andar por aí, mas em determinadas situações climáticas sentirei uma dor que talvez você nunca sinta. Sou salvo! Sim, sou salvo. Estou curado? Sim, estou curado. Mas ainda assim tenho de carregar em meu corpo certo grau de aflição em consequência de um problema do passado. Não temos sido honestos sobre esse assunto, e o cristianismo tem desapontado muitos que acharam que alguém imporia as mãos sobre eles e eliminariam de uma vez por todas suas mágoas de infância. Algumas coisas não somem completamente. Simplesmente não desaparecem.

Se existe um "conselho executivo" no Reino, no qual os representantes de cada grupo majoritário de acionistas se encontram diante de Deus, então Mefibosete pode representar-nos (ele é um tipo de outro Filho com cicatrizes que retornou a seu trono). Mefibosete traz para a primeira fila um homem que se senta numa mesa com os filhos do rei, embora não seja saudável, atraente nem de boa aparência. Ele tem cicatrizes e ferimentos e carrega um problema que precisa ser tratado quando ninguém está olhando. Mas a boa notícia é: *pelo menos Mefibosete chegou à mesa!*

À MESA É SEU LUGAR

Mesmo nossos fracassos são sucessos! Eles representam o milagre de nossa sobrevivência! Se considerarmos aquilo que tivemos de enfrentar, embora possa parecer um fracasso para nós, sobrevivemos, e essa sobrevivência significa sucesso!

Não importa a extensão de nossa ferida, não importa o tamanho de nossa deficiência, não importa quão distante você está do que poderia ter sido e deveria ter sido, você ainda pode chegar ao palácio e sentar-se à mesa com o restante dos filhos do rei! Sim, apesar de ainda ter um "problema" escondido debaixo da mesa, onde as pessoas não conseguem ver, a mesa ainda é seu lugar. É a ordem do rei!

Quando Mefibosete foi finalmente carregado até a mesa do rei Davi, começou a desfrutar de diversas bênçãos que não experimentara desde que a família real foi destituída. Em primeiro lugar, começou a receber um alimento pelo qual não teve de trabalhar. Existe auxílio para os deficientes por meio do Espírito Santo. *Deus sabe exatamente em que ponto você se encontra, mesmo que você esteja perdido em Lo-Debar!* Em segundo lugar, Mefibosete tinha uma aparência diferente. Se olhássemos para ele por cima da mesa, Mefibosete parecia tão "principesco" quanto Absalão, com seu majestoso cabelo esvoaçante, ou Amnom, com sua nobre conduta, ou mesmo Salomão, o filho com o semblante sábio que, no final das contas, assumiria o trono de Davi.

Mefibosete, o príncipe desfigurado e distante de uma casa esquecida, o deplorável recluso despedaçado vindo da terra do silêncio, agora se parecia com todos os outros sentados à mesa real. Era um príncipe entre príncipes. Essa era sua *posição*, e, escondida sob a mesa, estava sua *condição*. Sua volta ao palácio é uma boa notícia: *a posição pode superar a condição!*

Precisamos ter na igreja liberdade de dizer: "Sim, estou nesta *posição*, mas ainda tenho esta *condição*. Sim, sou pastor, presbítero, diácono, membro do coral, mas tenho a condição de 'ser humano'. Sinto muito, mas ainda carrego algumas feridas escondidas. Guardo minhas falhas debaixo desta mesa. Existem cicatrizes de infância debaixo do meu colarinho clerical que você não enxerga".

Nunca tivemos a capacidade de dizer isso. A igreja tem sido hipócrita na forma de enxergar e tratar seus líderes humanos. Os homens ficam frustrados por estarem em *posições* que não lhes permitem admitir que existem *condições* ou distúrbios com a esposa, a família e eles próprios.

Como maridos, estamos em *posições* que não nos permitem dizer: "Sim, sou casado, mas estou passando por uma crise de meia-idade, e desejo minha secretária de 20 anos! Sei que minha filha tem 19 anos, minha esposa tem 40, e eu já completei 45. Mas estou passando por esta *condição*. Ajude-me a permanecer em pé. Ajude-me a ir *daqui* para *lá*. O rei me chama para sua mesa, mas meus tornozelos não funcionam, e estou enfraquecendo mais e mais".

Toda vez que precisamos silenciar nossa *condição* por causa de nossa *posição*, nossos problemas e nossas feridas começam a ulcerar. Ficamos com raiva e jogamos fora tudo o que temos. Em desespero, tomamos decisões definitivas a respeito de circunstâncias temporárias — circunstâncias que, em algum momento, superaríamos se tivéssemos alguém que ouvisse nossas confidências. "Irmão, é assim que me sinto hoje. Sei que é errado e quero fazer o certo, mas tenho medo. É aqui que estou. Irmão, ajude-me a *ficar em pé*! Meus tornozelos estão doendo de novo, mas preciso chegar à mesa do rei!"

REVISÃO

1. Jesus disse: "Quem não receber o Reino de Deus como uma criança, nunca entrará nele". O que ele quis dizer com esta afirmação? (Assinale a letra da resposta escolhida.)
   a. Só as crianças podem ser salvas.
   b. Dentro de cada um de nós existe um criança que precisa aproximar-se de Deus para ser curada.
   c. O Reino de Deus é formado por um bando de fracassados imaturos.
2. a. Quem é Mefibosete? _____.
   b. Que posição ele teria ocupado? _____.
   c. Que acontecimento impediu que Mefibosete ocupasse essa posição? _____.
3. a. O que "Lo-Debar" significa? _____.
   b. O que significa dizer que "nossa deficiência pode deixar-nos em Lo-Debar"? _____.
4. O fato de que Mefibosete não podia ir à mesa de Davi sozinho, e por isso Ziba foi enviado para carregá-lo, ilustra a verdade de que às vezes ficamos tão _____ e _____ por causa de nosso quebrantamento que ouvimos a voz, mas não conseguimos levantar. É preciso que venha alguém para nos _____.
5. Ziba é um tipo do _____.
6. Aconteceu alguma coisa com Mefibosete quando ele era pequeno, e ele nunca se recuperou disso. Alguém o deixou cair. Você já sentiu como se o tivessem "deixado cair" e, sem você ter culpa alguma, sua vida mudou para sempre? O que aconteceu? _____.
7. O fato de Mefibosete nunca ter sido curado ilustra a verdade de que... (Assinale a letra da resposta escolhida):

a. Algumas feridas permanecerão conosco por toda a vida.
   b. Mefibosete era indigno de se sentar à mesa de Davi.
   c. A cura divina nunca ocorria no Antigo Testamento.
8. Nós causamos danos a muitas pessoas quando dizemos: "Venha até o altar, irmão, e tudo ficará bem!", implicando que alguém poderia impor as mãos sobre essa pessoa e limpá-la para sempre de todas as feridas da infância. Você já ficou decepcionado com o cristianismo por causa disso? _____
_____.
9. A boa notícia a respeito de Mefibosete é que ele pelo menos _____ à _____.
10. Isso ilustra que, embora ainda tenhamos _____, nosso lugar ainda é à mesa, junto com o restante dos filhos do Rei.
11. A igreja tem sido _____ na forma de enxergar e tratar seus líderes humanos.
12. Os homens ficam _____ por estarem em posições que não lhes permitem admitir que existem condições ou distúrbios com a esposa, a família e eles próprios.
13. Precisamos ter na igreja liberdade de dizer: "Sim, estou nesta _____, mas ainda tenho esta _____".
14. Por causa de sua posição, muitos homens tentam esconder suas _____, suas _____ e _____ de _____.
15. É comum os homens tomarem decisões definitivas em relação a circunstâncias temporárias, pois sua condição é desesperadora. Seria melhor desabafar com um _____, pedir sua ajuda e gastar tempo para _____ suas _____.

MAIS UM DESAFIO: Você tem um irmão em Cristo no qual acha que pode confiar? Você já chegou a confidenciar-se com ele ou deixá-lo ajudar você a arrumar as coisas? Ele já o procurou quando precisou de ajuda? _____
_____
_____

Confrontando o menino dentro de você

CAPÍTULO 3

Não podemos mais permitir que nosso passado destrua o que Deus tem para nós no presente. Precisamos admitir e confrontar as questões ocultas que ameaçam nosso destino. Todos nós temos feridas e desvantagens incapacitantes escondidas lá no fundo.

Ninguém está livre dessas desvantagens.

Homens sem atrativos acham que homens atraentes estão livres de problemas, e homens negros pensam: "Ah, se eu fosse branco neste país, venceria!". No entanto, os homens brancos também têm dificuldades. Os brancos olham para os negros e dizem: "Vocês têm todos os incentivos neste país! Se eu fosse negro, também conseguiria um emprego!".

Sabemos que algo nos falta. O "algo" que tentamos agarrar está fora de nosso alcance. Embora nos esforcemos para alcançá-lo, esse algo continua afastando-se. Nós nos culpamos uns aos outros, mas ainda sabemos que não conseguiremos obter isso. A mão do negro não o alcançou, a mão do branco não o alcançou. O homem de negócios e o advogado de empresas não o alcançaram; estes homens estão cometendo suicídio bem ao lado do viciado enredado pelo *crack*. A única esperança que cada um de nós tem está em Jesus. Somente Jesus pode atravessar a barreira do tempo e invadir nosso passado. Lá ele pode deixar-nos à vontade com as partes desconfortáveis e em paz com nossas debilidades e instabilidades.

Do executivo ao traficante de drogas, do diácono ao drogado, temos apenas um Deus ao qual apelar, e, no entanto, há alguma coisa no caminho. Enfrentaremos uma batalha ao levar a sério a ideia de nos libertarmos dessa coisa.

> E Jacó ficou sozinho. Então veio um homem que se
> pôs a lutar com ele até o amanhecer. (Gênesis 32.24)

Seja você um pregador ou diácono, negro ou branco, batista, metodista, presbiteriano ou um "cara aí da vizinhança", uma verdade o confronta: *Você nunca conseguirá ser quem quer ser enquanto não se desprender de quem você era.*

O INIMIGO INTERNO

Se quiser ser livre, você precisa estar disposto a desafiar todas as suas definições de masculinidade. É preciso ter disposição de enfrentar questões das quais outros homens fogem. A liberdade só chega quando nos desafiamos, quando confessamos a nós mesmos coisas que talvez não tenhamos dito a nossa esposa, nossos amigos ou nossos pais. É hora de enfrentar questões antigas.

Essas questões são inimigas da sua alma.

Não me preocupo exageradamente com bruxas, demônios, feitiçaria ou astrologia. Apesar de o crime ser realmente horrível, não me preocupo demais com assaltantes, ladrões, estupradores ou golpistas. Não quero ser vítima de gente assim, mas eles não são meu maior terror. Também não sofro de ansiedade com uma figura de vermelho, carregando um tridente e um rabo pontudo, que surge na janela fazendo sugestões malignas para mim. Se existe algo contra o que luto e me debato constantemente, é o *inimigo dentro de mim*. Isso é o que mais me preocupa — o inimigo "em mim"!

Se algo faz você andar para trás, esse é seu inimigo interno.

O livro de Romanos faz uma descrição assustadora de homens que não conseguem confrontar o inimigo interno:

> Porque, tendo conhecido a Deus, não o glorificaram como Deus [...] Além do mais, visto que desprezaram o conhecimento de Deus, ele os entregou a uma disposição mental reprovável, para praticarem o que não deviam. (Romanos 1.21,28)

Esses homens conheceram o Senhor, mas decidiram não glorificá-lo como Deus. O julgamento divino foi *entregá-los a si mesmos*! Talvez alguns de nós precisemos entrar na casa de uma bruxa, ou confrontar diretamente um feiticeiro, ou andar numa zona de prostituição de alta criminalidade, mas o maior dos perigos — o maior dos julgamentos — que poderia confrontar qualquer um de nós seria Deus nos entregar a nós mesmos. Se um dia Deus adotar o *slogan* "Faça do seu jeito", eu e você acabaremos nos autodestruindo!

Se formos abandonados a nossos próprios recursos, talvez nos surpreendamos ao ver quão corruptos realmente somos. Eu e você encobrimos dentro de nós coisas sobre as quais não falamos. Há coisas ocultas em nós, e por causa delas desprezamos os outros. Ah, sim, tomamos todo o cuidado para ter certeza de que ninguém saberá o que espreita os cantos sombrios de nosso coração, mas *essas coisas estão lá*. Em circunstâncias difíceis, essas fraquezas secretas podem explodir impetuosamente, com consequências terríveis.

Você ficaria surpreso com o que faria se ficasse sob pressão. Caso sua raiva oculta explodisse, o que você faria com aquela faca na gaveta da cozinha? Sob situações estressantes, você ficaria chocado em saber quem roubaria a loja de conveniência. Pastor, diácono, marido fiel e provedor, você mantém suas paixões secretas bem escondidas, mas se espantaria ao descobrir com quem dormiria se sofresse pressão em circunstâncias erradas. Quantas minas morais e emocionais estão enterradas nas profundezas de sua alma?

Perdoe-me se o deixei incomodado, mas, como disse certa vez meu irmão: "Quando entramos numa briga, podemos também ser os primeiros a dar um soco".

Você ficaria perturbado com o que está à espreita nas sombras de seu ser. De fato, você ficaria chocado se soubesse o que seus melhores amigos e familiares fizeram, mas não contaram a ninguém.

Os homens podem ser incrivelmente hipócritas. Em geral condenamos vigorosamente os outros pelas mesmas coisas das quais somos culpados.

Você é a maior e mais letal arma que o inimigo pode usar para o confrontar.

Graças a Deus não fui entregue a mim mesmo.

> *Obrigado por lutar comigo, Senhor. Obrigado por discutir comigo, por me condenar, debater comigo, guerrear comigo, conversar comigo e desafiar-me. Nunca conseguiria livrar-me de minha dor se o Senhor não estivesse lá para me mostrar o caminho de casa.*

Deus nos desafia de maneiras singulares e especiais a fim de nos ajudar a saber quem somos, a despeito de nossas deficiências. A maioria de nós sofre com a manipulação. Quando não temos objetivos, é fácil outras pessoas imporem suas ideias sobre quem somos ou deixamos de ser e sobre o que devemos ou não fazer. A manipulação é decorrência da falta de propósito. Sempre que não sabemos ou não entendemos nosso propósito, ou para o que fomos criados, ficamos vulneráveis à manipulação.

Qualquer pessoa pode definir suas prioridades se você não souber quem você realmente é. A menos que você confronte suas próprias debilidades e identifique suas próprias vulnerabilidades, nunca estará preparado para ataques nessas áreas. Se não estiver preparado, você se ouvirá dizendo: "Nunca achei que faria aquilo! Nunca acreditei que poderia ficar tão enraivecido e hostil! Nunca pensei que teria um caso extraconjugal! Como pude ser tão fraco?".

Milhares de homens já acreditaram que nunca teriam a capacidade de trapacear o fisco ou trair a esposa, mas acabaram trapaceando e traindo. Quando não avaliamos nosso potencial interno de pecado, não oramos contra isso, o que inevitavelmente nos deixará vulneráveis ao ataque do inimigo.

HÁ UM ASSENTO RESERVADO PARA VOCÊ

Nossa salvação repousa no fato de Deus ter posto a mão sobre nós. Ele fez um investimento tão custoso e pessoal em cada um de nós que não desiste facilmente daquilo que disse a nosso respeito! Ele pôs uma cadeira no meio dos anjos na eternidade. E então disse a eles:

— Vou trazer este homem para ocupar este assento, e ele será meu quando eu fabricar minhas joias. Vou trazê-lo exatamente para este lugar.

Os anjos protestaram: — Mas, Santo, o homem caiu repentinamente. Ele não é íntegro.

— Isso não importa. Vou trazê-lo para exatamente este lugar.

— Mas ele é um mentiroso!

— Tudo bem. Estou dizendo que este assento é dele. Eu escrevi o nome dele no assento.

— Ah, mas ele é um molestador!

— Isso é repulsivo, mas tudo bem. Vou trazê-lo para exatamente este lugar.

— Mas, Ancião, ouvi dizer que ele foi um pervertido.

— Mesmo assim, quando tudo tiver sido dito e feito, e eu houver concluído meu ensino, minha pregação e minha ministração por meio de meus servos, este homem se sentará bem aqui!

Talvez você tenha tomado um assento no qual dez anos atrás ninguém jamais imaginaria ver você assentado hoje. *Subestimaram o poder de Deus para mudar você.*

Deus "chama à existência coisas que não existem, como se existissem" (Romanos 4.17). Por quê? Deus sabe que tem o poder de transformá-la naquilo que ele diz que elas serão. Deus não tem medo de nos chamar de santos e inculpáveis, mesmo enquanto ainda estamos confusos, perturbados e tumultuados! Talvez sejamos culpados de infligir violência doméstica ou abuso mental, mas Deus diz: "Quando eu terminar minha obra, ele será diácono na igreja. Dê a ele este assento!". Quero agradecer a Deus por ter reservado esse assento para mim. Quero agradecer-lhe por fazer uma reserva em meu nome.

Deus reserva um assento para você. Você não precisa ter inveja de ninguém. Deus tem um assento especial, um assento totalmente único, reservado para você, e esse assento não é de mais ninguém; é seu! Deus reservou um assento para você, embora seus inimigos nunca tenham imaginado que você estaria ali.

Também alguns amigos seus não acreditaram que você poderia estar ali. Às vezes nem mesmo você confiaria chegar à direita de Deus: e não teria chegado mesmo, a não ser pelos braços santos do Senhor. Louvado seja Deus; ele o tirou de onde você estava, mesmo quando você não queria sair! Você se debateu e gritou, mas ele o tirou dali assim mesmo. Aleluia!

Deus tem de o deixar preparado. Você precisa estar pronto antes que possa sentar-se no assento que ele reservou para você. Quando você dirigiu bêbado na estrada, Deus convocou seus anjos para cuidar de você. Quando você bateu em sua esposa e se gabou de que nunca iria para a igreja, Deus o protegeu de sua própria fúria. Ele sabia que você estava louco. Sabia que precisava lidar com sua mente. Sabia exatamente como tiraria de você o amargor e dobraria seus joelhos.

Você é um milagre.

Se Deus fosse lidar com você de acordo com seus pecados, você estaria morto. Mas Deus é misericordioso. Ele estava decidido a levar você até o lugar em que poderia ministrar a sua vida. Quando você realmente pertence a Deus, ele toma medidas extremas para o *afastar das pessoas*: das rodinhas e "panelas", dos clubes, *spas* e *pubs*, da sociedade ou de qualquer emaranhado que o impeça de ouvir a voz dos céus. Contudo, quando você de fato está ouvindo, quando você é chamado por Deus, ele orquestra as coisas em sua vida para que seja dele — completamente do Senhor.

SOZINHO COM DEUS

Naquela noite Jacó levantou-se, tomou suas duas mulheres, suas duas servas e seus onze filhos para atravessar o lugar de passagem de Jaboque. Depois de havê-los feito atravessar o ribeiro, fez passar também tudo o que possuía. E Jacó ficou sozinho. (Gênesis 32.22-24)

Jacó não estava necessariamente solitário; estava sozinho. Quando Deus começa a chamar você, talvez você queira cercar-se de pessoas. A menos que você perceba o que está acontecendo, juntará pessoas ao seu redor para não ficar sozinho. Isso não ajuda. Você pode estar rodeado de gente e ainda assim estar sozinho se Deus estiver atrás de você. Você pode ter relacionamentos íntimos e ainda assim estar sozinho.

Quem você realmente é? Quem você é quando ninguém está olhando? Esse é o seu verdadeiro eu. Quem você é quando a máscara cai, quando você não tem um ego para defender quando você não tem nada a provar no trabalho? Quem é você quando não está preocupado com quem dirige o melhor carro, quem mora na casa mais espaçosa, ou quem fez a melhor jogada nos negócios? Quem é você quando se põe de lado todas as imitações da vida?

Se algum dia você ficar entre a vida e a morte, ou se recuperar de uma doença terminal, descobrirá seu "verdadeiro eu". Descobrirá que a maior parte das coisas que as pessoas consideram "importantes" não tem importância alguma.

Estou sozinho sempre que estou cercado por pessoas *que não sabem quem eu sou*. Sempre que me encontro numa situação em que não posso ser plenamente quem sou, estou sozinho. Sempre que preciso usar uma máscara ou camuflar quem eu realmente sou, estou sozinho. Estou isolado. Observo as pessoas por um espelho manchado porque elas de fato não me conhecem.

Deus quer que você fique sozinho porque é nessa condição em que ele realmente opera. Ninguém recebe convidados num centro cirúrgico. Não importa quantos entes queridos estejam a sua volta, quando estiver pronto para a cirurgia, os médicos tiram todos dali, até sua esposa e seus filhos. Deus pôs este livro em suas mãos porque quer fazer uma cirurgia.

"E Jacó ficou *sozinho*" (Gênesis 32.24). Jacó não apenas ficou sozinho; ele *foi deixado* sozinho, implicando que alguém estava com ele e partiu. Alguém em quem ele pensava poder confiar, essa pessoa partiu. Alguém com quem ele poderia ter comunhão, essa pessoa o abandonou.

"E Jacó ficou sozinho." Ele foi deixado sozinho, foi isolado, separado por Deus para um propósito divino. "Então veio um homem que se pôs a *lutar* com ele até o amanhecer" (Gênesis 32.24). Você está pronto? O próprio Deus está vindo para lutar com você.

DEUS ESTÁ VINDO PARA LUTAR COMIGO?

— Mas, Senhor, esse foi um momento de debilidade na vida de Jacó. Ele foi deixado sozinho, e parece que o Senhor deveria tê-lo consolado.

— Não — diz o Senhor. — Não vim para *consolar* Jacó: vim para *confrontá-lo*. Vim para desafiá-lo, para lutar com ele pelo domínio de sua vida, assim como vim para lutar com você!

— O Senhor também? Não! Todo mundo está lutando comigo. Minha esposa está lutando comigo, meus filhos estão lutando comigo, meu chefe está lutando comigo, minha igreja está lutando comigo, minha mente está lutando comigo. E agora o Senhor!

— Você tem razão, mas eu não vim para paparicar você. Não vim para o consolar; vim para confrontar e desafiar você. Vim para lutar com você até o submeter a minha vontade e ao propósito que tenho para sua vida!

A Bíblia afirma: "Quem fere por amor mostra lealdade" (Provérbios 27.6). Se amigos de verdade ferirem você, a ferida tem bom motivo. De fato, muitas vezes essa é a única maneira de diferenciar um amigo de verdade de um "amigo gente boa", um amigo que só está perto por causa dos benefícios da amizade. Um amigo de verdade não concorda com você o tempo todo. Não importa quão grosseiro ou rude você seja, ou quanto esbraveje ou se faça de machão, um amigo de verdade olhará dentro de suas olhos e dirá: "Eu estou ouvindo o que você diz, *mas você continua errado"*.

Você não conseguirá nenhuma ajuda dos pretensos amigos *enquanto não encontrar um amigo de verdade que o ame a ponto de enfrentar você.*

Deus está dizendo: "Eu vim enfrentar você. Vou confrontar você e o tirar do conforto. Vim tirar você da mediocridade!".

A maioria de nós é tão "normal" que chega a provocar enjoo. Nossas notas não são "E" nem "A": estamos apenas tirando Cs na escola da vida. Não passamos de medíocres. O tédio conduz ao pecado. Quando não há nenhuma excitação, "saímos para caçar".

É perigoso para você, na condição de "homem poderoso" de Deus, passar tempo demais na mediocridade. Se isso acontecer, você acabará criando seus próprios desafios. Veja o entretenimento masculino. O homem foi criado para caçar.

Quando Deus criou Adão, suas ordens incluíam frutificar e multiplicar, povoar a terra, subjugar e exercer domínio. *Subjugar* significa conquistar, *exercer domínio* significa manter controle sobre o que foi conquistado. Bem no fundo de sua natureza masculina existe a necessidade de subjugar. *Existe um caçador dentro de você.*

Ah, sim, existe um caçador aí dentro, quer você esteja perseguindo um contrato, quer um animal, quer uma mulher. Você precisa caçar alguma coisa.

Não faz a menor diferença se a questão é fechar um negócio, negociar ações, comprar um CD ou contratar um serviço: todos os homens adoram caçar. Temos de capturar alguma coisa. Temos de perseguir e alcançar, mesmo que não estejamos com muita vontade.

Muitas vezes um pescador pega um peixe e simplesmente o joga de volta na água. É mais interessante pegar o peixe do que comê-lo. Deus diz: "Vim para desafiar você antes que capture a coisa errada. Vim para uma batalha antes que você gaste sua força, sua juventude e seu talento afirmando-se na direção errada. Vim para lutar com você antes que desperdice seus momentos numa vida de frivolidades".

Deus sabe que, se não formos detidos, se não formos salvos de nós mesmos, chegaremos ao fim da vida arrependidos pelo que fizemos. Todas as posses e conquistas serão desprovidas de significado. Sentiremos inveja de outros homens que se desviaram das tolices que cometemos e desejaremos ter conduzido nossa vida de maneira diferente. Os homens se tornam cínicos quando veem outras pessoas que aproveitaram oportunidades e alcançaram sucesso onde eles falharam.

NÃO DESPERDICE SUA VIDA

Deus concedeu a você uma dádiva maravilhosa. Ele deu a você a vida. O que você fará com ela? Vida, energia, força, poder, imaginação e criatividade estão latejando por todo o seu corpo neste exato momento. Adão não passava de um vaso de barro até Deus *soprar* fôlego de vida nele! Deus soprou em você e deu vida a você. Sim, você já passou por muitas dificuldades, mas Deus soprou vida em você, e você está vivo.

Deus se levantou para o confrontar antes que você perdesse sua principal *commodity*, a vida. Deus deu a você uma oportunidade.

Tenha você percebido ou não, essa dádiva, sua oportunidade, está escorrendo por entre seus dedos como um pneu que murcha lentamente por causa de um furo. Certamente você segue em frente, mas está perdendo pressão o tempo todo. Você está perdendo cabelos, está perdendo os dentes, está perdendo a visão e... não listarei aqui *tudo* o que você está perdendo, mas o fato é que está enfrentando uma perda contínua.

Deus lutou com Jacó, um homem cujo nome significa "trapaceiro". Toda vez que alguém pronunciava o nome de Jacó, estava chamando-o de aplicador de golpes. "Ei, Enrolador, o jantar está pronto! Ei, Trapaceiro, venha comer! Ei, Embusteiro, ei, Velhaco, venha para a cozinha, sente-se e coma!" Toda vez que alguém chamava Jacó, fazia isso de acordo com suas *características*. Jacó viveu à altura de seu primeiro nome até que Deus marcou um encontro com ele no tatame para lutar!

Deus, eu agradeço pelo fato de o Senhor não desistir de mim!

Deus lutará com você para mostrar que você está desperdiçando sua vida. Ele lutará com você para fazer que dê valor à esposa que ele providenciou para você. Seja grato pelos tempos de luta, pois, se Deus não lutar com você, acabará abrindo mão de muito para ficar com muito pouco.

Às vezes Deus precisa lutar com você para o fazer entender quanto você foi abençoado. Ele lutará com você para o capacitar a permanecer num emprego, mesmo quando isso parece não estar levando a nada. Ele o confrontará, dizendo: "Filho, você largou os últimos três empregos. Quando você será mais consistente? Quando me deixará plantar para que a semente possa florescer? Você já passou por dez igrejas. Quando encontrará estabilidade? Você abriu cinco igrejas e abandonou todas elas! Quando vai ficar e lutar?".

Esta é a maneira de Deus nos dizer estas coisas. Ele não põe uma faixa sobre a ferida inflamada; ele exige que o problema seja tratado, não apenas tirado da vista. Ele diz: "Você é instável e está dando desculpas. Parece que você está aqui, lá e em toda parte. Você precisa firmar raízes".

Deus está esperando para lutar com você porque sabe que seu tempo está esgotando-se.

FICANDO SEM TEMPO

> E Jacó ficou sozinho. Então veio um homem que se pôs a lutar com ele até o amanhecer. (Gênesis 32.24)

Muitas pessoas confrontarão você, mas depois de um tempo acabarão desistindo. A Bíblia diz que Deus lutou com Jacó "até o amanhecer". Deus marcou a hora em seu relógio; queria que Jacó assumisse o assento que estava reservado para ele. Deus queria salvar o destino de Jacó antes que ele ficasse sem tempo.

Deus não deixará mais passar as coisas pequenas que ele costuma desconsiderar; você está ficando sem tempo. Ele aceitava suas desculpas nas primeiras horas da luta. Agora ele diz: "As desculpas já não funcionam: você está ficando sem tempo. Preciso fazer um trabalho rápido para o conduzir ao assento reservado para você. O inimigo está atrás de você. Você está na lista de prioridades do inferno, mas estou determinado a salvar você antes disso".

Satanás contratou assassinos para garantir sua eliminação, mas Deus diz: "Saí para o salvar antes que você perca tudo o que dei. Saí para o salvar antes que você perca sua vida, antes que perca sua esposa, antes que perca seu nome, antes que perca sua dignidade, antes que perca seu filho, antes que perca sua descendência e antes que perca seu futuro".

Não temos tempo para brincar nem para bandear por aí, agindo como garotinhos. Estamos velhos demais para esse tipo de tolice. "Quando eu era menino, falava como menino, pensava como menino e raciocinava como menino. Quando me tornei homem..." Precisamos entregar nossos caminhos ao Senhor porque não temos tempo para ficar de brincadeiras. Não temos tempo para "cafetões pentecostais" nem para "*playboys* de igreja", que saqueiam os templos e rodeiam o coral em busca de mulheres atraentes. Não temos tempo para casos extraconjugais. Não temos tempo para o pecado: precisamos chegar na hora e ocupar nosso assento reservado. Precisamos dizer adeus às distrações. Precisamos crescer e aprender a orar.

Fumar *crack*? Não tenho tempo. Andar por aí com outra mulher? Não tenho tempo; estou seguindo em outra direção. Estou à caça de Deus. Preciso trabalhar enquanto é dia. Não tenho tempo.

"Então veio um homem que se pôs a lutar com ele até o amanhecer" (Gênesis 32.24). Deus lutou com Jacó até o amanhecer. Quando vê que está amanhecendo e que o homem em suas mãos está ficando sem tempo, *Deus aumenta a intensidade da luta*. Ele diz: "Vou fazer um trabalho rápido neste homem; ele está ficando sem tempo".

Bem, Deus não fica sem tempo, não envelhece nem perde força, mas tudo isso acontece conosco. Se eu ou você fôssemos Jacó lutando com o Senhor no meio da noite, poderíamos dizer algo como: "Não. Não vou orar. Não, não estou pronto para desistir. Não, não estou pronto para me render. Quero roubar umas coisas. Quero enganar; vivo muito bem com minhas espertezas. Afinal, meus amigos me chamam de Trapaceiro. Não, não quero tratar melhor minha esposa. Não, não quero passar mais tempo com meus filhos. Tenho força suficiente para carregar tudo sozinho. Estou segurando a onda, não estou?".

Quando o Senhor viu que o dia estava amanhecendo e que a festa estava acabando, golpeou Jacó na articulação da coxa com uma perícia que somente o Mestre da Medicina teria. Se isso acontecesse conosco como aconteceu com Jacó, o lutador incansável, o escorregadio aplicador de golpes, diríamos repentinamente: "Ó Senhor, já não posso mais lutar com o Senhor. Fui ferido de tal maneira que preciso de sua ajuda até para me levantar do chão. Posso apoiar-me no Senhor? O Senhor me segura? Estou ferido e em apuros. Se o Senhor não me ajudar, tenho medo de perder tudo! Eu estava lutando com o Único que pode sustentar-me. Estava lutando com o Único capaz de me ajudar!".

LUTE ATÉ SABER

Quando o homem viu que não poderia dominá-lo, tocou na articulação da coxa de Jacó, de forma que lhe deslocou a coxa, enquanto lutavam. Então o homem disse: "Deixe-me ir, pois o dia já desponta". Mas Jacó lhe respondeu: "Não te deixarei ir, a não ser que me abençoes".

O homem lhe perguntou: "Qual é o seu nome?"

"Jacó", respondeu ele.

Então disse o homem: "Seu nome não será mais Jacó, mas sim Israel, porque você lutou com Deus e com homens e venceu".

Prosseguiu Jacó: "Peço-te que digas o teu nome".

Mas ele respondeu: "Por que pergunta o meu nome?" E o abençoou ali.

Jacó chamou àquele lugar Peniel, pois disse: "Vi Deus face a face e, todavia, minha vida foi poupada. (Gênesis 32.25-30)

Quando somos levados ao lugar de solidão e isolamento, podemos pegar-nos lutando com o Único capaz de nos curar e preservar. Quando a força de Jacó foi interrompida pelo poder de Deus, o Senhor transformou um lutador confiante e atrevido num homem ferido que mancava, um homem que queria a bênção divina mais que qualquer outra coisa no mundo! Agora Jacó, aquele trapaceiro, apoiava-se no Senhor, dizendo: "Continuarei clamando pelo Senhor *até que ele me abençoe*".

Quando o anjo perguntou qual era seu nome, ele respondeu que era Jacó, o "enganador", mas o anjo lhe deu um nome novo, uma nova identidade e um novo propósito.

É disso que eu e você precisamos. Precisamos perguntar ao Senhor: "Por que não morri naquele acidente de carro? Por que não levei um tiro no clube? Por que não perdi as estribeiras? Por que o Senhor sempre me abençoou? Por que o Senhor sempre me guardou? Mesmo quando eu não pensava no Senhor, sobrevivi. Por quê? Bendiga minha alma e diga-me quem sou. Diga-me o que o Senhor quer que eu faça. Diga-me o que serei. Diga-me os motivos pelos quais o Senhor me tem amado e abençoado. Por que sobrevivi?".

Você já se perguntou quem é, por que ainda está aqui? Por que você passou por tudo o que passou? Você realmente acredita que é porque é tão inteligente, talentoso, esperto ou bacana? Você poderia ter morrido. Poderia ter sido uma estatística num livro. Poderia ter tido um colapso nervoso. Poderia ter morrido de uma doença fatal. Poderia ter levado um tiro. Você deve a si mesmo lutar até descobrir quem é!

QUAL É O SEU NOME?

O homem lhe perguntou: "Qual é o seu nome?"
"Jacó", respondeu ele.

Então disse o homem: "Seu nome não será mais Jacó, mas sim Israel, porque você lutou com Deus e com homens e venceu". (Gênesis 32.27,28)

Não se surpreenda se Deus fizer a você a mesma pergunta que fez a Jacó. Sempre que Deus faz uma pergunta, ele está ensinando, pois é onisciente e não precisa aprender nada. Como os professores à moda antiga, ele faz perguntas para ver se estamos aprendendo alguma coisa. O Senhor diz: "Depois de tanto lutar e se debater, e depois do último teste pelo qual você passou, quero ver se aprendeu alguma coisa. *Qual é o seu nome?*".

Esse é o verdadeiro teste que todo homem precisa enfrentar: "Quem sou eu?".

QUEM É VOCÊ?

Examine sua vida. Analise tudo pelo qual você passou. *Você ainda está aqui.* Deus o trouxe até aqui e pôs este livro em suas mãos para fazer a você uma pergunta: "Qual é o seu nome?". Deus detonou um processo de reflexão na mente de Jacó. Deus o fez parar por tempo suficiente para avaliar sua identidade. Lutou com Jacó até levá-lo a uma revelação (não existe nada como a dor que gera uma revelação).

E quanto a você? Deus não está perguntando sobre seu pastor; ele quer saber se você sabe qual é o seu nome. Ele não está perguntando sobre sua esposa ou seus pais; está perguntando sobre você: "Qual é o seu nome? Quem é *você*? Tirando outras pessoas, tirando sua imagem, tirando suas roupas, tirando seu carro, sua casa e tudo mais que você possui, quem é você? Qual é o seu nome quando ninguém está por perto, quando você está totalmente sozinho?".

Quando Deus perguntou a Jacó quem ele era, recebeu uma resposta sofrível. O homem respondeu: "Sou Jacó". É triste, pois na verdade Jacó estava dizendo: "Sou *quem as pessoas dizem que eu sou*. Acho que sou apenas Jacó, pelo menos é assim que todo mundo me chama. Eu não sou quem as pessoas dizem que eu sou?".

Durante toda a vida, Jacó definiu-se de acordo com o que as *outras pessoas* o chamavam. Nunca pensou em questionar a opinião dos outros. Ele disse: "Sou Jacó. Um trapaceiro, um mentiroso, um ladrão, um aplicador de golpes: Não se pode confiar em mim. Sou um enganador".

Deus mandou que eu dissesse que *você não é quem as pessoas dizem que você é*. Acolha isso em seu espírito. *Você não é quem as pessoas dizem que você é.* Você é maior do que a opinião dos outros. Por que eles deveriam dizer qual é seu nome, determinar quem você é e estabelecer os limites de seu sucesso? Por que as pessoas deveriam ter permissão de limitar seu potencial? Por que você permite que outras pessoas digam quem você é?

Qual é o seu nome?

Você não é quem as pessoas dizem que você é. Quero que este fato simples cale fundo em seu espírito: *Você não é quem as pessoas dizem que você é.*

Talvez você seja um dos milhares de homens bons que simplesmente não conseguem falar nem se abrir com as pessoas. Você não consegue explicar a dor que sente, tem vergonha de revelá-la, ou de despir-se com suas emoções. Sei como é pensar que você precisa ser um "cara durão" e manter a imagem. Mas quero dizer a você uma coisa. Se, de alguma maneira, consegue ouvir-me por baixo de sua máscara e da concha de proteção que construiu a seu redor, quero que saiba disto: você é mais do que sua infância. Você é mais do que seu passado. Você é mais do que sua conta corrente. Você é mais do que suas circunstâncias. Você é mais do que suas finanças.

Você não é quem as pessoas dizem que você é.

UM PRÍNCIPE DE DEUS

Deus diz que seu nome é Israel. Em hebraico, Israel significa "ele dominará como Deus" e deriva de outro termo hebraico que significa "ter poder (como um príncipe)". Você é um príncipe e nem sabia! Você faz parte de um sacerdócio real e de uma nação santa (v. 1Pedro 2.9). Você é vitorioso (v. 1João 2.13,14). Você é a cabeça, não a cauda; vive por cima, não por baixo (v. Deuteronômio 28.13,14). Você é um príncipe, e o Diabo sabe disso. É por isso que ele vem tentando assassinar você.

Você é um príncipe, e todo o inferno tem medo de você. O inimigo sabe quem você pode ser e o quer destruir antes que você se torne aquilo que Deus afirmou que você será. Você é filho do Rei, e seu pai é o Rei dos reis e Senhor dos senhores.

O que você está fazendo nesta confusão toda? Seu pai é o Rei. Ele é Rei acima da pobreza, da doença e da aflição. Você sabe quem é? Você é um príncipe! Você passou por um monte de coisas: o Diabo o tentou matar, mas você ainda está aqui! Prepare-se. Deus irá levantar e postar você em um lugar elevado.

Comece a declarar: "Não sei quanto aos outros, mas eu estou saindo fora disso. Sou um príncipe de Deus e estou lutando com todas as minhas forças. Dê-me meus filhos. Devolva meu casamento!". Se você confrontar suas fraquezas, Deus o libertará. Se você enfrentar seu passado porque deseja seu futuro, Deus abrirá as janelas do céu e derramará sobre você uma bênção!

É difícil lidar com a pressão e o estresse de ser o herói de todos, o tempo todo, e agir como homem quando por dentro você se sente como um garotinho. Consolar as pessoas quando desejamos que alguém nos console é algo que nos deixa perplexos. Deus sabe que, "atingidos na coxa", é difícil prosseguir. Tentamos manter as aparências. "Estou ferido, mas não posso parar. Estou mancando, mas tenho de seguir em frente. Vou arrastar comigo minha dor. Todos contam comigo. Sou um homem, não posso ficar cansado, e não se espera que eu fique magoado".

DEBAIXO DO DISFARCE

Deve haver algum lugar aonde possamos ir, um lugar no qual não seja necessário impressionar ninguém, onde não se espere que sejamos super-homens. Estou falando de um lugar tipo "Clark Kent", onde não há espaço para super-homens. Tem de ser um lugar para homens comuns, ordinários.

Estou falando sério. Para muitos homens, as coisas dificilmente podem ficar piores! Alguns perderam o casamento. Alguns perderam o ministério. Alguns perderam o filho. Alguns perderam a dignidade. Alguns perderam a autoestima, e outros perderam a masculinidade. Milhões estão hesitantes, cegos e coxos, e não ousamos dizer a ninguém que a luz se apagou dentro de nós!

A primavera não está por onde passamos, e estamos cansados do uniforme de super-homem. Estamos enjoados das botas, estamos enjoados da capa e estamos especialmente enjoados do dramatismo necessário para *disfarçar nossa própria identidade* (e não é de super-homem). Somos apenas homens. Não somos os anjos de Deus; somos tímidos e estamos cansados de nos esconder sob uma capa. Somos apenas homens que sentiram o golpe desferido por Deus. A ferida causada pelo nosso Melhor Amigo traspassou nossa alma. Estamos prestes a descobrir quem realmente somos sob os farrapos do trapaceiro.

Alguns foram abusados e molestados; outros abusaram e molestaram. Fomos feridos e maltratados, alguns passaram um tempo na prisão, e muitos são adúlteros. Estamos deprimidos e desalentados porque nosso ministério naufragou e nosso casamento está afundando. Alguns refletem sobre a vida com uma tristeza insuportável: "Houve uma época em que éramos amantes que não conseguiam suportar a distância — hoje somos colegas de quarto dividindo o mesmo espaço. Compartilhamos a casa e as refeições. Para onde foi a chama? Será que um dia voltaremos a viver?".

Às vezes questiono: O que aconteceria se orássemos? O que aconteceria se homens negros, brancos, batistas e metodistas se unissem em oração com homens pentecostais e presbiterianos? Se homens ricos e pobres, de boa formação e analfabetos, se todos nos juntássemos para orar? Questiono se a nação seria mais transformada pela Igreja do que pela presidência da República?

O que aconteceria se decidíssemos ajudar nossos irmãos a recuperar a dignidade? Está na hora de os homens orarem. Deixamos tempo demais essa tarefa nas mãos das mulheres. Está na hora de irmos para a guerra como homens, como príncipes de Deus. As mãos que neste exato momento seguram este livro talvez não estejam aqui no ano que vem se alguém não orar por elas. Se não orarmos, alguns dos homens respeitáveis que estão lendo este livro e que serviram como pastores durante vinte e cinco anos acabarão enredados em casos extraconjugais. Alguns dos homens mais novos que estão lendo este livro, homens cujo sangue hoje está limpo, morrerão de aids se não orarmos.

Escrevi este livro para ser usado por Deus, para conclamar o poderoso exército de príncipes a guerrear contra o inimigo. É nossa tarefa massacrá-lo com nossas armas de guerra até arrancarmos de suas garras nossa dignidade. Precisamos esmurrá--lo com orações até arrancarmos nossos lares de suas mãos, até recuperarmos nossa mente, nossas emoções, nossos desejos e nossa sexualidade, tirando tudo isso de seu alcance.

Irmão, existe um demônio que recebeu a missão de se levantar contra você. Ele foi feito sob medida para destruir você. Analisou sua infância e seu passado e sabe qual é seu ponto fraco. Sabe onde bater para o derrubar. Ele vem atrás de você. Se você, junto com aqueles que *realmente* o conhecem, não orar e fortalecer esse ponto fraco, não conseguirá permanecer firme contra as astúcias do Diabo. Ele já sabe onde você foi ferido, e está vindo para o buscar.

Está na hora de os príncipes de Deus serem verdadeiros com ele e uns com os outros. Está na hora de aproveitar toda oportunidade de orar em favor dos homens que o Diabo quer matar. Está na hora de orar em favor de nossos irmãos e nossas irmãs, em favor de nossos lares e nossas famílias, em favor de nossas emoções e nossa sexualidade. Está na hora de orar sobre os "lugares retorcidos" de nossa vida, os lugares que sempre querem virar para o lado errado. Precisamos orar até endireitarmos os caminhos retorcidos.

Neste exato momento você está lutando. Você luta para conhecer a si mesmo. Luta para saber qual é seu lugar. Luta para conhecer o poder de Deus. O espírito de Deus está esperando por você. Deus tem um mandado de prisão para você. Somente a ferida causada por seu Amigo o pode libertar do pecado.

Nesta noite, lute até o amanhecer...

REVISÃO

1. Alguém está livre de ficar numa condição inferior? _____. Explique. _____ _____.
2. Somente _____ pode atravessar a barreira do tempo e deixar-nos à vontade com as partes desconfortáveis de nosso passado.
3. Você nunca conseguirá ser quem quer ser enquanto não se desprender de quem você _____.
4. Verdadeiro ou falso: Seu pior inimigo é o inimigo que está dentro de você. _____
5. Qual juízo Deus pronunciou em Romanos 1.21,28 sobre aqueles que não o glorificaram como Deus? _____ _____ _____.
6. Se formos abandonados a nossos próprios recursos, talvez nos surpreendamos ao ver quão _____ realmente somos.
7. Em circunstâncias difíceis, nossas _____ podem explodir impetuosamente, com consequências terríveis.
8. Ficamos vulneráveis à manipulação quando não sabemos ou não entendemos nosso _____.
9. A menos que confrontemos nossas _____ e identifiquemos nossas _____, nunca estaremos preparados para os ataques nessas áreas.
10. Verdadeiro ou falso: Deus fez um investimento tão custoso e pessoal em cada um de nós que não desiste facilmente daquilo que disse a nosso respeito em sua Palavra. _____
11. Por que Deus não tem medo de "chamar à existência coisas que não existem, como se já existissem?" _____ _____ _____
12. Você já teve consciência de Deus orquestrando coisas em sua vida, talvez para o levar ao ponto em que pudesse ministrar a você ou o libertar de emaranhados que desviavam sua atenção? _____. Se for o caso, o que aconteceu? _____ _____ _____.

13. Estou sozinho toda vez que preciso usar uma máscara ou _____ quem eu realmente sou.
14. Deus quer que você tenha a experiência de ficar sozinho com ele para que ele possa _____
   _____.
15. Qual é o significado do versículo "Quem fere por amor mostra lealdade"? _____
   _____
   _____.
16. Deus se levantou para o confrontar antes que você perdesse sua principal *commodity*: a _____.
17. Liste quatro percepções que podem resultar de "lutar com Deus".
   a. _____
   b. _____
   c. _____
   d. _____
18. Verdadeiro ou falso: Quando Deus percebe que o tempo de um homem está acabando, ele eleva o nível da luta. _____
19. Você já se perguntou o motivo pelo qual sua vida foi preservada, e por que você superou tudo o que já superou? _____
20. Verdadeiro ou falso: Em resumo, você é aquilo que as pessoas dizem que você é. _____
21. Aos olhos de Deus, você é um _____, um filho do Rei.
22. Se você confrontar suas fraquezas, Deus o _____. Se você enfrentar seu _____ porque deseja seu futuro, Deus abrirá as janelas do céu e derramará sobre você uma bênção.
23. O que aconteceria se os homens começassem a orar uns pelos outros? _____
   _____. O que acontecerá se não orarem? _____
   _____.

MAIS UM DESAFIO: Pergunta a um amigo de confiança se você pode orar por ele a respeito de alguma questão com a qual esteja lutando. Depois ORE por ele e fortaleça-o neste ponto fraco. _____
_____
_____

Quando me tornei homem

CAPÍTULO 4

> Quando eu era menino, falava como menino, pensava como menino e raciocinava como menino. Quando me tornei homem, deixei para trás as coisas de menino. (1Coríntios 13.11)

AO USAR A FRASE *QUANDO me tornei homem*, o apóstolo Paulo parece ter considerado isso um acontecimento (porque foi mesmo). O "quando" sugere que ele se lembrava do próprio *bar mitzvah*, a cerimônia judaica que marcou seu reconhecimento público como adulto "filho da Lei". Também precisamos de um marco em nossa vida, um marco que afirme nosso "rito de passagem" para a masculinidade e para os propósitos de Deus.

FAZENDO A TRANSPOSIÇÃO

Jesus disse aos discípulos "Vamos para o outro lado" (Marcos 4.35). É quando tentamos cruzar de um lado para outro que as tempestades começam. A turbulência da mudança pode ser esmagadora, pois a única coisa que o inimigo não quer que façamos é mudar. Não, ele não liga se formos à igreja. Ele nem mesmo se importa se vestirmos uma toga e cantarmos no coral. Ele só não quer que mudemos.

Muitos de nós estamos presos a terríveis hábitos e estilos de vida porque não mais fazemos uma "fila de ovelhinhas" em épocas de mudança. Parece que não conseguimos encontrar um lugar para fazer cruzar a linha de mudança, por isso vagamos sem objetivo, desperdiçando tempo e energia. Precisamos experimentar um inequívoco rito de passagem. Precisamos de um marco permanente de nossa masculinidade registrado com fogo em nossa memória. Em outras palavras, precisamos declarar "Estou cruzando a linha exatamente neste ponto".

Se você fizer isso, deve esperar por uma tempestade bem no meio da passagem! É quando tentamos mudar que o inimigo decide estragar nossa festa. Espere sentado as adversidades que surgirão para o manter em sua antiga posição fora da graça. Não aja como se estivesse surpreso quando soprarem os ventos da tempestade, e as chuvas enfraquecerem sua empolgação. Simplesmente enfrente a tempestade e observe Deus dando sua paz no processo. Esse tipo de paz só pode surgir mediante oração. Se você quiser ter paz no processo de mudança e durante a tensão da tempestade, é preciso proteger o coração e a mente com oração.

> Não andem ansiosos por coisa alguma, mas em tudo, pela oração e súplicas, e com ações de graças, apresentem seus pedidos a Deus. E a paz de Deus, que excede todo o entendimento, guardará o coração e a mente de vocês em Cristo Jesus. (Filipenses 4.6,7)

A mudança tem um custo. O custo de "morrer para o velho" a fim de "nascer para o novo".

Não fizemos morrer a criança dentro de nós. Assim como Abraão ofereceu seu jovem filho, nós precisamos oferecer nossa própria imaturidade. Por quê? Como Abraão, precisamos fazer isso porque se trata de uma exigência de Deus. Precisamos levar nossas coisas de menino para o altar e erguer uma faca para sacrificá-las, se é que pretendemos algum dia vivenciar uma experiência real com Deus.

Observe: Ninguém pode fazer isso por você! Nem o pregador, nem a esposa que suplica, o pode levar até o altar e o obrigar a oferecer as coisas de menino. Só você pode fazer este sacrifício doloroso diante de Deus. É sua oferta pessoal, e sem ela não é possível cruzar para o outro lado.

Infelizmente, muitos ficamos presos no meio do lago porque uma tempestade se armou, e deixamos de oferecer as "coisas de menino" que deveríamos oferecer. Não pudemos abrir mão de nossa imaturidade de menino, e agora balançamos no barco da mediocridade, quando poderíamos ter cruzado para uma abundância interna e externa. A abundância interna refere-se a uma completude interior, formada por uma satisfação e uma tranquilidade que devem ser nossas. No entanto, por não conseguirmos abandonar as "coisas de menino", nossa vida é tão tempestuosa quanto a água fervente numa chaleira fumegante de vapor.

CELEBRE A MASCULINIDADE

A despeito da agitação gerada por nossas tentativas indiferentes de avançar para a verdadeira masculinidade, nossas ações e nossa aparência parecem provar que não gostamos de ser homens. De fato, damos à masculinidade uma má fama ao passar a impressão de que ela é entediante.

Nunca celebramos nossa própria masculinidade. Em vez disso, nós nos vestimos com tédio e agimos com tédio. Somos como uma dançarina de cabaré tão sem graça (exceto durante eventos esportivos ou ataques de raiva) que ninguém tem vontade de pôr dinheiro em nossa roupa. Francamente, damos a impressão de que estamos passando por maus bocados por sermos homens. De fato, a masculinidade parece tão ruim que alguns de nossos jovens a estão abandonando e virando *gays*! Tornamos a vida do homem uma terrível rotina "do trabalho para casa e de casa para o trabalho" sem nenhuma criatividade ou apelo. Se as aparências valem alguma coisa, então estamos em situação deplorável. Precisamos celebrar a masculinidade. De alguma maneira, precisamos de uma mudança.

Você já se perguntou por que motivos as mulheres parecem divertir-se tanto sendo mulheres? A trilha delas não é mais fácil que a nossa. Elas têm de lidar com inacreditáveis pressões sociais, ciclos menstruais, parto e educação dos filhos, e ainda enfrentam a menopausa quando acabam os anos férteis; mesmo assim, as mulheres *celebram a feminilidade*! Elas gostam de ser mulheres e realizam um excelente trabalho fazendo que nós também gostemos dessa feminilidade! Elas fazem reuniões estéticas nas quais praticam a aplicação dos últimos produtos de maquiagem com grande precisão e cuidado. Fazem compras em grupos ou sozinhas, caçando a roupa e os acessórios perfeitos pelo preço adequado. Depois contam animadamente as últimas novidades às amigas (e ficam irritadas se a "novidade" aparece no mesmo recinto, mas em outra mulher).

A maioria das mulheres desfruta o fato de ser mulher. Elas se cercam de coisas bonitas — flores e laços e objetos delicados que ajudam a moldar e realçar sua beleza e feminilidade.

Os homens são diferentes. Nós deixamos de celebrar nossa masculinidade. Voltamos ao nada porque, em algum lugar dentro de nós, achamos que nossas necessidades não são importantes. Alguns de nós se destacam nas "artes de macho", tais como arrotar, beber avidamente cerveja e correr atrás de mulheres, mas ninguém fica impressionado. Animais irracionais conseguem fazer essas coisas; a verdadeira masculinidade pede bem mais do que uma boa quantidade de hormônios, álcool e falta de educação.

Certa vez paguei para todos os homens de nossa organização uma assinatura da GQ, uma revista de generalidades voltada ao público masculino. Sei que alguns cristãos podem considerar esse ato um sinal de que "perdi minha salvação", mas comprei essa revista masculina para esses homens por uma razão muito importante. Não gastamos tempo descobrindo coisas sobre ser homem e agimos como quem não desfruta da masculinidade. Assim como não conhecemos nada do corpo das mulheres, também não sabemos muita coisa sobre nosso próprio corpo! Quando nosso corpo começa a mudar com a idade, ficamos chocados! "Por que isso está acontecendo comigo!? Quem colocou este pneu extra aqui?" Não sabemos os motivos disso porque temos vergonha de nosso "fracasso". Não temos ideia do que aconteceria conosco quando chegássemos aos 30 ou aos 50 anos porque não tivemos uma formação sobre o que é ser homem.

Anos atrás, no dia em que uma garota menstruasse, ela ficaria chocada de ver que estava sangrando, a menos que sua mãe a tivesse preparado e dado informações. Ela correria para os braços da mãe aos prantos, contando a terrível notícia de que talvez fosse morrer porque estava sangrando. Então sua mãe gentilmente lhe enxugaria as lágrimas e explicaria que a filha acabara de virar mulher.

Os homens mostram a mesma ignorância e falta de informação a respeito de seu corpo e ciclos físicos. Não sabemos quase nada sobre como nosso corpo reage quando envelhece. Não percebemos que nosso desempenho físico e sexual, nossos picos emocionais e toda a nossa mentalidade mudam em certos estágios da vida. Não sabemos nada sobre o assunto, por isso estamos completamente despreparados para essa situação.

Quando sentimos o impacto, temos a sensação de que fomos atropelados por um trem.

Os meninos não têm um rito de passagem dramático como a menstruação para marcar a entrada na maturidade física. A transformação deles pode não ser tão traumática, mas, por outro lado, também não dirige o foco para as responsabilidades do gênero. Quando uma moça tem seu primeiro ciclo mensal, todo o seu ser concentra-se no fato de ter sido singularmente equipada e projetada para trazer vidas ao mundo usando seu corpo. Um rapaz fica modulando a voz até que finalmente ela se estabiliza e seus colegas param de fazer piada com ele. O aparecimento de características sexuais secundárias, como pelos pelo corpo e mudança de voz, vem de maneira desconexa, quase acidental. Infelizmente, é assim que a maioria dos homens entra na masculinidade e descobre sua sexualidade.

Mais tarde na vida, não podemos evitar passagens igualmente difíceis. Enquanto uma mulher precisa enfrentar as dificuldades da menopausa, temos de encarar algo que chamaram de "crise de meia-idade". Estou falando sobre homem com uns 40 anos que consegue desmontar e montar um computador, mas não conhece o suficiente de sua sexualidade para compreender por que seu mundo parece estar ruindo. Estou falando sobre o gênio da administração que consegue gerenciar uma empresa, mas não consegue lidar com a perda da ereção. Na ignorância e no isolamento, nós gritamos: "Vergonha, que vergonha, ai de mim".

Precisamos celebrar nossa masculinidade desde o primeiro passo na vida adulta até o final da "fase de vovô". Precisamos aprender a respeito de nosso corpo e receber instruções sobre nossas responsabilidades como homens dadas por Deus. Precisamos celebrar quem somos no plano de Deus.

Os judeus celebram a entrada do rapaz na vida adulta após seu aniversário de 13 anos com instruções e preparativos cuidadosos para a cerimônia do *bar mitzvah*. Esse acontecimento marca a entrada do rapaz na vida adulta, e é considerado tanto uma passagem espiritual como uma mudança física. Os judeus exigem que os candidatos ao *bar mitzvah* aprendam os deveres bíblicos e se comprometam com eles antes de serem reconhecidos como adultos. Muitos homens e pais nos Estados Unidos parecem achar que, para tornar-se homem, basta comprar um exemplar da *Playboy* e um engradado de cervejas.

NA TERRA PROMETIDA

Entre o vaguear no deserto das "coisas de menino" e o lugar assentado da masculinidade, todos os homens devem ter como aspiração serem plantados na terra prometida.

Para os homens, a terra prometida é um lugar de firmeza e solidez. É o lugar onde as perambulações cessam e a edificação se inicia. Foi lá que Israel começou a construir casas e a jogar fora as tendas, e é lá que as nossas instabilidades ganham solidez. É o lugar onde o irresponsável se torna comprometido. Enquanto estavam no deserto, os israelitas não possuíram nada, não conquistaram nada e não adquiriram nada! Mas, na terra prometida, os homens de Israel levantaram-se para confrontar inimigos, subjugar territórios inteiros e ganhar propriedades pela conquista.

A terra prometida é onde mantemos as promessas que fizemos a nós mesmos, a nossa esposa e nossos filhos. É o lugar onde nossas palavras têm crédito. É onde nosso comprometimento conjugal deixa de ser errante, tenhamos sido errantes no secreto da mente ou tenhamos literalmente entrado às escondidas em casa tarde da noite. A terra prometida nos permite manter nossas promessas enquanto Deus mantém as dele!

Precisamos celebrar a masculinidade adulta, aprendendo o que ela significa e o que é necessário para sermos homens de verdade. Precisamos "continuar nossa educação" ao longo de todos os ritos e das experiências de flertar, casar, criar filhos e até mesmo ser avô!

Cada um dos estágios gera *mudança* e, na maior parte do tempo, não estamos preparados para isso! Muitos na faixa dos 40 anos constituíram família e, no entanto, nunca celebraram o fato de serem homens! Se celebrarmos a masculinidade com toda a força e todo o coração, e honrarmos Deus na qualidade de homens que apreciam sua masculinidade, descobriremos que as mulheres que fazem parte de nossa vida também a celebrarão! Deus nos criou para sermos homens. Está na hora de encarar o desafio e viver à altura do destino que Deus nos deu!

O rio Jordão é o lugar onde Israel passou do deserto para a terra prometida. Era frio e fundo, mas Deus os ajudou a cruzá-lo. Esse mesmo Deus nos ajuda hoje a atravessar nossas limitações e chegar à terra prometida. Lembre-se de que o rio Jordão desemboca no mar Morto. Precisamos dar como mortas as "coisas de menino". Jamais devemos tentar entrar na terra prometida sem ter atravessado o rio Jordão.

O seu "rio Jordão" pode ser um momento de crise que faz você rever suas prioridades na vida. Pode ser uma provação que o leve ao fundo do poço. Pode ser que seus segredos de menino ocultos sejam descobertos e expostos para que, constrangido e envergonhado, você seja obrigado a entrar no rio Jordão. Seu Jordão pode simplesmente ser uma questão de receber ministração do Espírito Santo, seja por meio da pregação, seja por meio deste livro. Não importa a motivação, o rio Jordão é o lugar onde você se alinha com o propósito de Deus. Ele faz morrer todas as distrações que o afastam do lugar que Deus designou como seu lugar de habitação.

O SEGUNDO "QUANDO"

> Quando eu era menino, falava como menino, pensava como menino e raciocinava como menino. Quando me tornei homem, deixei para trás as coisas de menino. (1Coríntios 13.11)

Você perceberá que existem dois "quando" neste texto. O primeiro refere-se ao "quando" da infância; o segundo, ao "quando" da masculinidade. Para o homem atormentado que luta com seus sentimentos e se debate com seus impulsos, a pergunta premente é: "Senhor, quando conseguirei chegar ao segundo 'quando'?". Provavelmente sua esposa está fazendo a mesma pergunta! "Senhor, quando?" Não existe uma data mágica no calendário.

Talvez você tenha passado da idade em que, em sua opinião, outros fizeram a travessia, mas isso não é motivo para se envergonhar. Muitos homens vivem com tremendo remorso e arrependimento por sentirem que é "tarde demais". Temem estar condenados a ser menos do que homens porque perderam a chance de mudar. Isso simplesmente não é verdade!

Deve haver muitas pessoas que não querem dar a você uma segunda chance, mas Deus não é como elas. A cada manhã em que você abre os olhos e enche os pulmões com ar, Deus dá a você outra chance de mudar. Toda a mensagem do cristianismo está permeada da possibilidade de mudança! No meio da sociedade implacável que criamos, é bom saber que Deus nos concedeu a dádiva e a graça de mudar!

Não se pode mudar "o que" já aconteceu, e igualmente não se pode mudar o "como" aconteceu. Mas o rito de passagem para entrar na masculinidade não é uma questão de mudar os "quês" e os "comos" da vida. É mudar o "quem": *quem* *é você!* Você é a questão mais importante para Deus. Quando você não consegue mudar o que aconteceu, lembre-se de que *o desejo de Deus é mudar você!*

As pessoas, na maioria, entendem que deve mudar, mas ficam perguntando quando a mudança pode ser efetuada! O processo começa por dentro, quando olhamos para a face de Deus e somos transformados.

UM HOMEM SEGUNDO O CORAÇÃO DE DEUS

Davi celebrava a masculinidade. Ele é uma ótima descrição daquilo que um homem deve ser. Deus o chamou de "homem segundo o meu coração" (Atos 13.22), e posso ver o porquê disso. O coração de Davi estava tão sintonizado com o de Deus, e tão livre das opiniões dos homens, que ele foi o *adorador premium* de Deus na Bíblia! Davi adorava e dançava com tanta força e liberdade que suas roupas chegavam a cair! Ele ria e chorava e até mesmo escreveu boa parte da prosa mais exaltada na história humana. No entanto, quando necessário, Davi era incrivelmente violento! Ele foi um dos poucos líderes militares na História que *nunca perdeu uma batalha*! E Davi celebrou sua masculinidade mais do que qualquer outro homem de que tenho notícia.

> Eu te louvo porque me fizeste
> de modo especial e admirável.
> Tuas obras são maravilhosas!
> Digo isso com convicção. (Salmos 139.14)

Davi admirava abertamente seu corpo e desfrutava das profundas paixões masculinas que Deus lhe dera. Ele agradeceu a Deus por aquilo que havia recebido e fez o máximo que pôde com aquilo que tinha à disposição. Precisamos fazer o mesmo.

"É, mas ele era o rei Davi. Ele conseguiu. Mas dê uma olhada em meus problemas!"

Não é verdade. Davi era o caçula, o irmão mais novo que sempre é deixado de lado. Ele não era tão grande quanto seus irmãos e não tinha voz ativa nas questões da família porque era o "tampinha", o que ficava no fundo da lixeira. A despeito dessas desvantagens, Davi atingiu o topo. Como? De alguma maneira ele aprendeu sobre sua responsabilidade nessas áreas enquanto estava com Deus.

O que você faria se fosse um adolescente, a quilômetros de distância de qualquer tipo de ajuda, e um leão ou urso viesse para o almoço? Você tem nas mãos um violão, um sanduíche e seu estilingue favorito. Não sei quanto a você, mas eu pensaria: "Senhor leão, você estaria interessado em costela de cordeiro hoje? O senhor também pode ficar com meu sanduíche!". Não Davi.

> Davi, entretanto, disse a Saul: "Teu servo toma conta das ovelhas de seu pai. Quando aparece um leão ou um urso e leva uma ovelha do rebanho, eu vou atrás dele, dou-lhe golpes e livro a ovelha de sua boca. Quando se vira contra mim, eu o pego pela juba e lhe dou golpes até matá-lo". (1Samuel 17.34,35)

Deus estava preparando um garoto nos campos para pastorear seu rebanho no palácio. Quando um urso e um leão, cada um por sua vez, levaram uma ovelha do rebanho de Davi, ele não se sentou em lágrimas e inventou desculpas para contar a seu pai. Ele nem mesmo pensou no que fazer. Rendeu-se ao Espírito de Deus que se levantou dentro dele. Como o Grande Pastor que viria anos depois, esse jovem pastor deixou as "noventa e nove" ovelhas para recuperar aquela que fora arrancada do rebanho.

Nenhum predador tem direito de roubar nem sequer uma de nossas ovelhas!

Davi saiu à caça dos predadores com tanta velocidade que os pegou em plena fuga, enquanto as ovelhas ainda estavam vivas entre seus dentes. Ele não parou para pensar no perigo nem para fazer sofisticados planos de batalha: havia uma tarefa a cumprir, uma ovelha a salvar, e aquelas feras tinham ido longe demais! Com a raiva lívida de um pastor justo, o jovem Davi golpeou o urso e o leão com tanta força que as ovelhas roubadas lhes caíram da boca! No entanto, Davi não parou por aí.

Esses comedores de carne haviam subestimado a masculinidade e a autoridade do príncipe secreto que se pôs entre ele e as presas. As feras arremeteram contra Davi, supondo que ele cairia como qualquer outro animal. Foi o último erro que cometeram! Davi não deu um potente tiro de rifle de dentro do interior seguro de um Land Rover. Não foi atrás do urso a uma distância segura usando uma Winchester e uma mira telescópica. A Bíblia diz que ele os pegou "pela juba". Em outras palavras, Davi segurou a pelagem do leão e do urso abaixo do maxilar e acertou bem entre os olhos. Davi não se deteve em sua ira justa enquanto não matou seus inimigos, anulando para sempre a capacidade que eles tinham de devastar seu rebanho. Isso é masculinidade ao estilo divino.

A FONTE DE NOSSA FORÇA

Davi não fez aulas de caratê nem fez treinamento básico no Exército. Sua força e seu treinamento vieram de *saber quem é Deus*. Qual é a fonte de sua força? Até mesmo os soldados mais habilidosos dos dias de Davi descobriram que seu treinamento não podia ajudá-los com Golias; aquele era um problema maior do que os soldados.

Estamos na mesma situação: enfrentamos desafios que são bem maiores do que nós. Sabemos que não estamos à altura da tarefa, longe da perfeição. Então, o que fazer? O que Davi fez. Enquanto todo o exército de Israel se acovardava perante a enorme sombra de Golias, o rei Saul, em sua tenda real, perguntava a um jovem pastor vindo do interior como ele esperava derrotar o gigante.

> Respondeu Saul: "Você não tem condições de lutar contra esse filisteu; você é apenas um rapaz, e ele é guerreiro desde a mocidade".
> Davi, entretanto, disse a Saul: "Teu servo toma conta das ovelhas de teu pai. [...] Teu servo pôde matar um leão e um urso; esse filisteu incircunciso será como um deles, pois desafiou os exércitos do Deus vivo. O SENHOR que me livrou das garras do leão e das garras do urso me livrará das mãos desse filisteu". (1Samuel 17.33,34,36,37)

Davi não confiou na própria força, capacidade ou habilidade. Não afirmou ser um grande guerreiro ou estrategista. Simplesmente reivindicou servir a um Deus poderoso que era poderosamente maluco! Os irmãos de Davi acharam que ele havia enlouquecido e ficaram constrangidos com as declarações ultrajantes do caçula. Achavam que o universo de Davi se reduzia ao rebanho. Pensavam que o pastorzinho fixava o olhar apenas nas ovelhas, mas seus olhos fitavam o Criador das ovelhas, e Davi se transformara num homem de guerra.

> Saul vestiu Davi com sua própria túnica, colocou-lhe uma armadura e lhe pôs um capacete de bronze na cabeça. Davi prendeu sua espada sobre a túnica e tentou andar, pois não estava acostumado com aquilo.

E disse a Saul: "Não consigo andar com isto, pois não estou acostumado". Então tirou tudo aquilo e em seguida pegou seu cajado, escolheu no riacho cinco pedras lisas, colocou-as na bolsa, isto é, no seu alforje de pastor, e, com a atiradeira na mão, aproximou-se do filisteu. (1Samuel 17.38-40)

Davi não confiou no equipamento de outra pessoa: Deus havia plantado um tesouro no coração de Davi, e foi nisso que ele se apoiou. Davi confiou no que havia desenvolvido no próprio coração e na vida com Deus. Usou os presentes que Deus tinha dado: os materiais e ferramentas de um pastor.

Jesus libertou toda a nossa raça com as ferramentas de um pastor, não com as ferramentas de um soldado. Um pastor de verdade, nas mãos de um Deus poderoso, pode libertar qualquer nação, igreja ou família. Deus criou o homem para subjugar e dominar, e assim todo verdadeiro homem de Deus é no fundo um pastor. Existe algo no homem que o impele a dar sua vida pelas ovelhas que Deus entregou a ele: sejam estas "ovelhas" a esposa e os filhos, a congregação ou o círculo de amigos que Deus lhe destinou.

Davi não sabia disso, mas começou a pastorear e a inspirar uma nação no dia em que enfrentou o gigante. Ele pregou seu primeiro "sermão" quando era adolescente, debaixo da unção de Deus:

> Davi, porém, disse ao filisteu: "Você vem contra mim com espada, com lança e com dardos, mas eu vou contra você em nome do Senhor dos Exércitos, o Deus dos exércitos de Israel, a quem você desafiou. [...] Todos os que estão aqui saberão que não é por espada ou por lança que o Senhor concede vitória; pois a batalha é do Senhor, e ele entregará todos vocês em nossas mãos".
> (1Samuel 17.45,47)

Seu espírito saltou enquanto você lia isso? Este é o *homem que está dentro de você* reagindo ao Deus que estava em Davi. Os homens de verdade aplaudem quando alguém ousa levantar-se em favor daquilo que é certo aos olhos de Deus! A bravura de Davi era contagiosa. Quando ele lançou ao chão o inimigo de Deus, o temeroso exército de Israel se transformou numa máquina militar implacável que destruiu o melhor exército que a Filístia tinha a oferecer. Ele não apenas se contaminara pelo cheiro de sangue; eles perseguiram os filisteus até o portão da sua cidade e os derrubaram novamente!

Davi valeu-se da verdadeira fonte da masculinidade. Sua força não vinha dos hormônios masculinos, dos filmes de machões ou da cultura dominada pelos homens. Se a questão fossem os hormônios, Davi não teria durado um minuto diante de Golias, pois era inferior no departamento hormonal. Golias era uma experimentada máquina de luta, de aproximadamente 3 metros de altura! Só a armadura dele pesava quase 70 quilos. Felizmente, a verdadeira masculinidade não brota do natural; brota de uma fonte sobrenatural. Como Davi, a única maneira de ser um homem de verdade é ser um "homem segundo o coração de Deus".

Davi não chegou à masculinidade a partir de uma infância perfeita. Ele também enfrentou obstáculos. Jessé, o pai de Davi, esqueceu o filho mais novo quando o profeta Samuel veio para ungir o futuro rei de Israel, mas Deus sabia onde Davi estava. O caçula estava preso com as ovelhas no fundo de lugar nenhum enquanto seus irmãos eram enviados a uma grandiosa campanha militar. Mas nada disso aconteceu por acidente: Davi tinha um encontro divino com Deus naqueles campos desérticos. Deus separou Davi para que pudesse operar nele! Na época em que o jovem pastor finalmente surgiu vindo das colinas, era um guerreiro posto à prova e um rei em espera. Esse príncipe estava de repente destinado à grandeza porque havia descoberto onde Deus mora.

DAVI, O HOMEM

Depois de ter vencido as batalhas contra o urso, o leão e o gigante, Davi nunca perdeu um confronto militar. Houve momentos em que evitou a batalha, e algumas vezes desapareceu do campo de batalha, mas era um homem de verdade que sabia proteger os seus. Era forte, mortal e durão, mas sua masculinidade ia além disso. Davi era tão seguro em sua masculinidade que também era sensível, de coração terno e afetivo. Era poeta e guerreiro. Em uma mão Davi carregava a harpa e, noutra, a espada. Ele vivia uma vida masculina em toda a plenitude.

Davi era amante das mulheres. De fato, no entardecer de sua vida, seus servos colocaram uma moça em sua cama como teste final para ver se ele estava perto de morrer. Se não ficasse excitado, saberiam que havia partido! Eles devem ter dito: "Agora, sim, precisamos de um novo rei. Agora *sabemos* que o rei está prestes a morrer" (v. 1Reis 1).

Davi também amava os homens. Ele nos mostrou o jeito certo de amar os amigos de verdade. Ele amou abertamente Jônatas, sem nenhuma conotação homossexual. Somos tão rígidos que nem sequer conseguimos tocar-nos, com exceção daquele tapinha nas costas depois de uma grande decisão no futebol ou no basquete.

Davi amava Jônatas e demonstra seu amor. Ele estava à vontade com a própria sexualidade. Fazemos a ideia de ser homem parecer tão ruim que nossos filhos pensam: "Não parece que papai está bem. Quem quer crescer e ser assim?". Quando saímos pela manhã, não temos energia nem entusiasmo. Quando nos arrastamos do trabalho para casa, parecemos tristes e abatidos. Por isso, quando dizemos ao Júnior que está na hora de ser homem, ele responde: "Ah, não, de jeito nenhum. Prefiro morrer na diversão a viver como um adulto embotado que nunca se diverte". Precisamos modelar a masculinidade diante de nossos filhos e ajudá-los a celebrar sua masculinidade em desenvolvimento. Nessa área, podemos aprender algumas coisas com Davi.

Davi aprendeu a ser homem mantendo comunhão com Deus nas colinas e depois inspirava masculinidade por todo lugar que passava. Todo homem sob sua influência parecia tornar-se mais másculo. O primeiro vislumbre de sua influência vem com a transformação do exército israelita quando Davi derrotou Golias. Ficou ainda mais claro quando Davi fugia de Saul.

> Davi fugiu da cidade de Gate e foi para a caverna de Adulão. Quando seus irmãos e a família de seu pai souberam disso, foram até lá para encontrá-lo. Também juntaram-se a eles todos os que estavam em dificuldades, os endividados e os descontentes; e ele se tornou o líder deles. Havia cerca de quatrocentos homens com ele. (1Samuel 22.1,2)

Aconteceu um milagre na caverna de Adulão. A unção de Davi transformou aquele bando de esfarrapados num exército de elite, em guerreiros corajosos. Os "homens poderosos" de Davi descritos em 2Samuel pertenciam originariamente ao grupo de "endividados e descontentes" que se reuniam na caverna. O homem de verdade inspira masculinidade nos demais. Davi inspirou masculinidade numa nação inteira e continua a nos inspirar hoje por intermédio das Escrituras!

Davi também tinha suas falhas. A despeito de sua masculinidade e de seu coração voltado para Deus, ele não conseguiu confrontar seus pecados e suas fraquezas secretas. Ele não controlou sua paixão sexual por Bate-Seba e não conseguiu disciplinar corretamente seus filhos. Se Davi tivesse confiado em outros homens piedosos, essas fraquezas poderiam ter virado fortalezas. Em vez disso, as fraquezas secretas de Davi o conduziram a seus piores fracassos com Bate-Seba e Absalão, e eles contaminaram o futuro de sua família e nação.

Todos sabemos do pecado de Davi com Bate-Seba, mas Davi também foi por demais leniente e parcial com Absalão, seu filho. O desrespeito e a revolta de Absalão para com seu pai fizeram nascer uma rebelião aberta que, a certa altura, trouxe morte para a família. Todos os filhos de Davi sabiam guerrear, eram inteligentes e tinham boa educação, mas de alguma maneira o pai não lhes transmitiu a intimidade pessoal que tinha com Deus. Talvez Davi estivesse ocupado demais com o "ministério" para ocupar-se com seus filhos. Qualquer que seja o motivo desse fracasso, podemos aprender com as derrotas pessoais de Davi e também com suas vitórias militares.

A masculinidade não é mera idade cronológica que você tenta alcançar; é um estágio em seu desenvolvimento. Não precisa necessariamente ocorrer numa *idade* específica; precisa ocorrer num *estágio* particular.

Quando percebemos ter ultrapassado os pensamentos antigos e as compreensões prévias, devemos preparar-nos para a mudança. Quando aquilo que no passado era sabedoria soa hoje como tolice, a mudança está no ar. Quando admitirmos que os brinquedos antigos não nos divertem tanto quanto no passado, então é hora de encarar os ritos de passagem.

Essa é uma celebração que requer santificação. Paulo diz: "Quando me tornei homem, deixei para trás as coisas de menino". Parte da celebração requer uma decisão consciente de deixar de lado as coisas de menino. Paulo não disse que não havia mais nenhum prazer nessas coisas; apenas disse que as "deixou para trás".

O LEÃO E O CORDEIRO

Nosso mais rico modelo de masculinidade é Jesus Cristo. Acima de qualquer outro homem, Jesus demonstrou equilíbrio naquilo que chamo de "natureza dupla de um homem", o padrão perfeito da masculinidade holística.

Um pré-requisito absoluto para celebrar a masculinidade é que exista *um leão e um cordeiro* em cada homem. Davi era poeta e guerreiro, pastor e general, sacerdote e rei. Jesus Cristo era Deus e homem, leão e cordeiro. A arte está em ter as duas coisas e saber quando ser o quê.

Cristo fez coisas no papel de leão que não poderia fazer como cordeiro. Também fez coisas no papel de cordeiro que não poderia fazer como leão. Se Jesus tivesse rugido na cruz como o Leão de Judá, teria sido fraco. Sua força naquela situação se relacionava com sua identidade de Cordeiro de Deus sacrificial que tiraria os pecados do mundo ao entregar-se para a morte: o inocente levando a culpa pelos culpados.

No entanto, quando Jesus voltar, se ele ficar lamuriando-se como um Cordeiro manso, não cumprirá seu destino como o supremo Rei dos reis e Senhor dos senhores, cujo nome está acima de todo nome! O Cordeiro de Deus sacrificial voltará como o triunfante Leão de Judá!

De maneira semelhante, deve haver uma corda bamba dentro de cada homem, uma dicotomia de duas naturezas completamente diferentes. Uma é semelhante à do cordeiro: vulnerável, frágil e mansa, que nos deixa dispostos a ceder para que outros nos preguem numa cruz. Ao mesmo tempo, existe outra parte de nós que ruge como um leão, que se aviva numa luta, que é poderosa na batalha. Os homens não podem envergonhar-se de nenhum aspecto de sua natureza. Temos de simplesmente mantê-los tensionados. A verdadeira definição de mansidão é "força sob controle". Só podemos celebrar a masculinidade depois de reconhecermos e andarmos nessa natureza dupla dentro de nós.

Homem de Deus, você precisa andar numa corda bamba entre ser um leão e ser um cordeiro, e somente o Espírito Santo pode ajudar você a manter o equilíbrio nessa caminhada.

Comecei a entender por que as mulheres se irritam tanto com os homens. Às vezes rugimos quando precisamos falar manso e falamos manso quando deveríamos rugir! Nossa esposa fica frustrada quando insistimos em gritar pulando de cipó em cipó numa corrida hormonal, quando ela precisa que sejamos cordeiros amorosos que lhe deem ternura e afeição. Também há momentos em que nossos filhos se aproximam do leão de sua vida e pedem orientação e proteção masculinas, mas, em vez disso, rugirmos como protetores, fungamos o nariz em egoísmo ou falamos manso por fraqueza: "Pergunte a sua mãe".

Davi foi um homem "segundo o coração de Deus", embora tivesse falhas exatamente como eu e você. A diferença é que aprendemos a ser homens na presença de Deus, e ele virou sua nação de cabeça para baixo. Sua nação, sua casa, sua esposa e seus filhos estão clamando por *um homem de verdade em casa*. Está na hora de você celebrar seu *bar mitzvah* e levantar-se como príncipe e homem de guerra na casa de Deus!

REVISÃO

1. Cada homem precisa criar um marco em sua vida que afirme seu "rito de passagem" para a _____ e para os _____ de _____.
2. Assim como Abraão ofereceu seu jovem filho, também precisamos oferecer nossa própria _____.
3. Quem é a única pessoa que pode oferecer suas coisas de menino para Deus? _____.
4. Por que alguns homens nunca "fazem a travessia" para a masculinidade? _____
   _____
   _____.
5. Nossas ações e nossa aparência parecem provar que nós não _____ de sermos homens. De fato, transmitimos uma má fama da masculinidade fazendo-a parecer _____.
6. Verdadeiro ou falso: A maioria dos homens está bem informada sobre como o envelhecimento afeta seu corpo, por isso eles estão totalmente preparados quando ocorrem mudanças em seu desempenho físico e sexual. _____.
7. Verdadeiro ou falso: Embora a passagem de uma mulher para a vida adulta seja clara e dramática, as mudanças físicas de um jovem aparecem de maneira desorganizada, quase a esmo. _____.
8. Os judeus exigem que os candidatos ao *bar mitzvah* aprendam os _____ e se comprometam com eles antes de serem reconhecidos como adultos.
9. Precisamos _____ a vida adulta aprendendo o que ela significa e o que é necessário para sermos homens de verdade.
10. Precisamos "_____ nossa _____" ao longo de todos os ritos e das experiências de flertar, casar, criar filhos e até mesmo ser avô!
11. Se celebrarmos a masculinidade com toda a força e todo o coração, e honrarmos Deus na qualidade de homens que apreciam sua masculinidade, descobriremos que as _____ que fazem parte de nossa vida também a celebrarão!

12. Muitos homens vivem com tremendo remorso e arrependimento por sentirem que "é tarde demais". Temem estar condenados a ser menos do que homens porque perderam a _____ de _____.
13. O rito de passagem para entrar na masculinidade não é uma questão de mudar os "_____" e os "_____" da vida, mas de mudar o "_____".
14. O processo começa por dentro, quando olhamos para a _____ de _____ e somos transformados.
15. Um exemplo de homem que celebrou sua masculinidade foi _____.
16. Liste algumas coisas a respeito de Davi que fazem dele uma ótima descrição daquilo que um homem deve ser _____.
17. Quando um urso e um leão atacaram o rebanho de Davi, ele nem mesmo pensou no que fazer. _____ ao Espírito de Deus que se levantou dentro dele.
18. Verdadeiro ou falso: Davi não se deteve em sua ira justa enquanto não matou seus inimigos, anulando para sempre a capacidade que eles tinham de destruir seu rebanho. _____.
19. A força e o treinamento de Davi vieram de _____.
20. Um _____ de _____, nas mãos de um Deus poderoso, pode libertar qualquer nação, igreja ou família.
21. Verdadeiro ou falso: Todo verdadeiro homem de Deus é no fundo um pastor. _____
22. Como Davi, a única maneira de ser um homem de verdade é ser um homem _____ de Deus.
23. Davi aprendeu a ser homem mantendo comunhão com Deus nas colinas. Depois ele _____ em todos por todo lugar que passava.
24. A masculinidade não precisa necessariamente ocorrer numa idade específica; precisa ocorrer num _____ particular.
25. Liste três indicadores de que você já se tornou homem:
    a. _____
    b. _____
    c. _____

26. É preciso existir um leão e um cordeiro em cada homem. A arte está em ter as duas coisas e saber _____ ser _____.
27. Acima de qualquer outro homem, Jesus demonstrou perfeito _____ na natureza dupla do homem.
28. Os homens de verdade não podem envergonhar-se de nenhum aspecto de sua _____.
29. A verdadeira definição de mansidão é _____.
30. Você precisa andar na corda bamba entre ser um leão e um cordeiro, e somente o _____ pode ajudar você a manter o equilíbrio nessa caminhada.

MAIS UM DESAFIO: Talvez você seja um dos muitos homens que se encontram balançando no barco da mediocridade quando você podia ter cruzado para o lado da abundância, do contentamento e da tranquilidade. Você está ciente de algumas "coisas de criança" que o Senhor tem pedido que você ofereça a ele? Você está preparado para tomar uma atitude agora? Neste caso, faça uma lista dessas coisas e as entregue a Deus em oração. _____

_____
_____
_____
_____
_____

A festa está rolando

CAPÍTULO 5

A CELEBRAÇÃO ESTÁ NA ORDEM do dia! Toda vez que um homem volta a si, precisa haver uma celebração. Há tempo para semear e tempo para regar. Também há um tempo de espera, mas agora é hora de celebrar! Deus nos chamou para sair das sombras das coisas de menino e entrar na brilhante luz do sol que é a masculinidade.

Erros do passado e fracassos deploráveis não têm lugar à luz de nossa convocação divina. O rei está chamando seus filhos. É hora de "voltar a nós mesmos", de arrepender-nos e retornar a nosso lugar de direito com o Pai celestial. Como o filho pródigo que voltou para a casa de seu pai, também precisamos apressar-nos para receber um manto, um anel e a masculinidade.

> Jesus continuou: "Um homem tinha dois filhos. O mais novo disse ao seu pai: 'Pai, quero minha parte da herança'. Assim, ele repartiu sua propriedade entre eles.

"Não muito tempo depois, o filho mais novo reuniu tudo o que tinha, e foi para uma região distante; e lá desperdiçou os seus bens vivendo irresponsavelmente. Depois de ter gasto tudo, houve uma grande fome em toda aquela região, e ele começou a passar necessidade. Por isso foi empregar-se com um dos cidadãos daquela região, que o mandou para seu campo a fim de cuidar de porcos". (Lucas 15.11-15)

Esse jovem rompeu sua fidelidade para com o pai, fez as malas e virou cidadão de um país distante. Amigos do exterior são perigosos: eles inevitavelmente nos levam aos chiqueiros da vida. Eles possuem valores diferentes e vão minar aquilo que Deus estabeleceu como propósito da nossa vida. De fato, na maior parte do tempo eles nos levarão a fazer exatamente as coisas que mais odiamos e mais desprezamos!

Jesus contou a história do filho pródigo para uma audiência composta por judeus, os quais tinham sido educados para observar cuidadosamente as leis alimentícias dos livros de Levítico e Deuteronômio. Porcos eram totalmente impuros e não deveriam ser tocados por absolutamente nenhum motivo. Assim, aos olhos de um judeu consagrado, ser forçado a viver num chiqueiro era um destino pior que a morte!

Você já foi manipulado a ponto de ser algo que parecia um arremedo de você mesmo? Você já se deu conta de estar num relacionamento que o fez sentir-se envergonhado, usado ou semelhante a um pária? Você já traiu ou desprezou alguém, mesmo percebendo seu sofrimento? Todos nós passamos um tempo no chiqueiro, de uma maneira ou de outra.

É hora de celebrar, mas talvez você esteja enredado pelas memórias paralisantes de seus fracassos e excessos. Você compartilhou partes de sua vida com a pessoa errada? Compartilhou pensamentos e ações com uma pessoa com a qual não firmou aliança? As mulheres sempre estão preocupadas com homens sendo seduzidos e tendo casos, mas os casos não começam na carne: eles começam na mente. Como uma queimada em uma tempestade de vento, os pensamentos gradualmente engolem as paixões e alteram os julgamentos de suas vítimas.

> "Ele desejava encher o estômago com as vagens de alfarrobeira que os porcos comiam, mas ninguém lhe dava nada.
>
> "Caindo em si, ele disse: 'Quantos empregados de meu pai têm comida de sobra, e eu aqui, morrendo de fome!' [...] A seguir, levantou-se e foi para seu pai.
>
> "Estando ainda longe, seu pai o viu e, cheio de compaixão, correu para seu filho, e o abraçou e beijou.
>
> "O filho lhe disse: 'Pai, pequei contra o céu e contra ti. Não sou mais digno de ser chamado seu filho'.
>
> "Mas o pai disse aos seus servos: 'Depressa! Tragam a melhor roupa e vistam nele. Coloquem um anel em seu dedo e calçados em seus pés. Tragam o novilho gordo e matem-no. Vamos fazer uma festa e alegrar-nos. Pois este meu filho estava morto e voltou à vida; estava perdido e foi achado. E começaram a festejar o seu regresso." (Lucas 15.16-17,20-24)

A influência é uma coisa poderosa. Tenha cautela com quem tem permissão para influenciar você. O filho pródigo foi influenciado por um cidadão de um país longínquo. Diz-se em Salmos 1.1: "Como é feliz aquele que não segue o conselho dos ímpios"! Se você quiser ser abençoado, seja cauteloso, examine quem tem permissão para influenciar você. Muitos se deixam influenciar por homens ímpios ou por homens de Deus que agem seguindo motivações ímpias.

Uma das maiores liberdades que se pode ter é a liberdade de escolha. Você escolhe. Deus nem mesmo o poupa da vontade que você tem. O Deus todo-poderoso do Universo falou por meio de Josué: "Escolham hoje a quem irão servir" (Josué 24.15). As influências erradas podem diluir ou contaminar aquilo que Deus está fazendo em sua vida. Você não está imune, você é humano.

Sansão foi destruído porque permitiu que Dalila o influenciasse! De início ele resistiu, mas gradualmente aquela mulher ímpia contaminou sua sabedoria. Seduziu-o com artimanhas para descobrir seu segredo, uma fraqueza desconhecida até que, contra o bom senso, Sansão contou a ela mais do que deveria. Imediatamente sua destruição estava selada. A última coisa que esse homem de Deus viu com seus olhos mortais foi a mulher amada receber dinheiro de seus algozes por sua própria traição! (V. Juízes 16.16-21).

UM DESACORDO EM CADA FESTA

O louvor a Deus é forte na boca de qualquer homem que tenha reconhecido seu próprio chiqueiro. Pelo Espírito de Deus recuperamos o bom senso. Agora conseguimos ver que escapamos por pouco. Graças ao Pai amoroso, o pródigo torna-se poderoso. É hora de festejar à mesa do Pai, de nos deleitar em nossa masculinidade recém-encontrada e divinamente orientada. Ao mesmo tempo, é importante entender os ardis do Diabo. Ele garante que haverá uma divisão em cada festa. Ele planta uma exceção em cada recepção. Ele dilui cada brinde!

> A fim de que Satanás não tivesse vantagem sobre nós; pois não ignoramos as suas intenções. (2Coríntios 2.11)

A celebração começou, mas nuvens escuras pairam próximas a nosso pavilhão de alegria. Essa não é uma revelação nova: é um antigo ardil usado pelo inimigo para abater e desanimar os homens de Deus em relação aos caminhos divinos. Se existiu um homem que tinha o direito de alegrar-se grandemente no poder libertador de Deus e em seus propósitos soberanos, esse homem era o rei Davi. No entanto, Satanás fincou uma raiz de amargura no meio da colheita de alegria de Davi.

> Davi, vestindo o colete sacerdotal de linho, foi dançando com todas as suas forças perante o SENHOR, enquanto ele e todos os israelitas levavam a arca do SENHOR ao som de gritos de alegria e de trombetas.
> Aconteceu que, entrando a arca do SENHOR na Cidade de Davi, Mical, filha de Saul, observava de uma janela. E, ao ver o rei Davi dançando e celebrando perante o SENHOR, ela o desprezou em seu coração. [...]
> Voltando Davi para casa para abençoar sua família, Mical, filha de Saul, saiu ao seu encontro e lhe disse: "Como o rei de Israel se destacou hoje, tirando o manto na frente das escravas de seus servos, como um homem vulgar!". (2Samuel 6.14-16,20)

Davi cresceu ouvindo todas as histórias dos "bons e velhos tempos", quando a arca da aliança ainda estava no tabernáculo. Sua batalha com Golias foi uma extensão natural da secular tensão entre Israel e os filisteus, os invasores que haviam matado os filhos de Eli e levado a arca para Asdode (v. 1Samuel 4; 5.1). Agora a arca estava aos cuidados de Obede-Edom (v. 2Samuel 6), e Davi sabia que era hora de comemorar. Era hora de fazer a colheita e devolver a glória *shekinah* do Senhor a Jerusalém. Para um homem cuja vida estava arraigada na presença do Senhor e adorava o Altíssimo como nunca ocorrera antes, não haveria evento mais grandioso!

A adoração e o louvor sem amarras a Deus diante do povo ainda é um modelo da verdadeira adoração para nós hoje!

Nunca houve uma adoração tão livre e desinibida ao Senhor como naquele dia. No entanto, no meio dessa adoração pura e sem amarras, surgiu uma queixa caluniosa!

Quando Davi retornou para casa em triunfo a fim de dividir a alegria de ver a arca da aliança de volta a Jerusalém, sua própria esposa o recebeu com uma acusação mordaz de conduta indecente. E ainda pior: suas palavras estavam temperadas com o desprezo feminino pela masculinidade. Foi um tapa na cara que poderia derrubar a autoestima do homem mais seguro, porém Davi já havia começado sua celebração. Ele havia acabado de aquecer-se no calor da presença do Deus vivo. Ele tinha cruzado o Jordão, e não havia volta. Ele voltou para casa trazendo para suas esposas e família as bênçãos de Deus, mas ainda assim cada um tinha de fazer uma escolha.

Mical certa vez se opôs ao poder e à raiva de seu próprio pai, o rei de Israel, para salvar o amor da sua vida, Davi. Embora fosse fugitivo do rei, Mical tinha escondido o marido e mentido para salvar sua vida. Em troca, seu pai a tirou da casa de Davi e a deu como esposa para outro homem.

Na época em que Davi devolveu a arca da aliança a Jerusalém, Mical foi obrigada a voltar para a casa de Davi. Ela recebera a influência de outro homem e de outra casa, e isso ficou evidente. De volta para casa, teve de dividir Davi com outras mulheres que também eram esposas de Davi, de acordo com o costume da época. Mical teve ainda de enfrentar uma travessia, mas escolheu sentar-se na "roda dos zombadores" descrita em Salmos 1.1. De todas as pessoas da casa de Davi, era Mical quem tinha mais força para infligir dor e angústia ao marido. Ela foi seu primeiro amor, a noiva de sua juventude. Mas, no dia de maior alegria para Davi, ela escolheu ser amarga e altiva.

NEM TODO MUNDO SE DIVERTE NA FESTA

Você já sentiu a melancolia da rejeição por parte dos seus amores mais antigos e de suas companhias mais próximas? Já sentiu a dor penetrante da traição de seus confidentes mais leais e dos familiares mais queridos? Nem todo mundo se diverte quando matamos o novilho gordo ou fazemos a travessia para a terra prometida. O filho pródigo também sentiu as emoções agridoces da aceitação exaltada e da rejeição tardia no dia em que voltou para a casa de seu pai.

"Enquanto isso, o filho mais velho estava no campo. Quando se aproximou da casa, ouviu a música e a dança. Então chamou um dos servos e perguntou-lhe o que estava acontecendo. Este lhe respondeu: 'Seu irmão voltou, e seu pai matou o novilho gordo, porque o recebeu de volta são e salvo'.

"O filho mais velho encheu-se de ira, e não quis entrar. Então seu pai saiu e insistiu com ele. Mas ele respondeu ao seu pai: 'Olha! todos esses anos tenho trabalhado como um escravo ao teu serviço e nunca desobedeci às tuas ordens. Mas tu nunca me deste nem um cabrito para eu festejar com os meus amigos. Mas quando volta para casa esse teu filho, que esbanjou os teus bens com as prostitutas, matas o novilho gordo para ele!'

"Disse o pai: 'Meu filho, você está sempre comigo, e tudo o que tenho é seu. Mas nós tínhamos que celebrar a volta deste seu irmão e alegrar-nos, porque ele estava morto e voltou à vida, estava perdido e foi achado'." (Lucas 15.25-32)

Apesar de o filho mais novo ter encarado seu pecado, ter-se arrependido de seus erros e ter-se lançado nos braços amorosos de seu pai, o irmão mais velho permaneceu teimosamente em seus "direitos" e sua "justiça própria". Este se recusou a obedecer ao pedido amoroso de seu pai para participar da festa: escolheu permanecer na dor do isolamento. Tendo feito essa escolha, ele nem sequer ouviu a garantia solene feita por seu pai de que "tudo o que tenho é seu".

O irmão mais velho agarrou-se desesperadamente a sua inveja, optando pelo lamento e pela queixa a respeito dos erros e do sofrimento. Enquanto isso, uma festa de restauração varria a casa que fazia parte de sua justa herança! Diante da masculinidade genuína de seu pai, o filho mais velho agarrou-se aos agora egoístas frutos de sua infância e não conseguiu atravessar o Jordão.

À medida que você começa a celebrar seu *bar mitzvah* e marcar sua entrada na masculinidade, não desanime se algumas pessoas que você ama não se alegrarem com você. Não existem garantias de que todos a sua volta ficarão contentes por você. Enquanto homens e mulheres habitarem casas de carne, a inveja estará à espera na esquina para sufocar qualquer motivo de alegria ou triunfo. No entanto, parte da travessia para a masculinidade é a determinação de seguir a indicação de Deus, qualquer que seja o preço disso. A masculinidade requer o comprometimento de liderar, mesmo que alguns nunca cheguem a seguir você.

Quando se experimenta pela primeira vez libertação e restauração vindas da mão do Pai, o importante é celebrar, mesmo que ninguém se junte a você! O filho pródigo entrou na alegria de seu pai e nunca olhou para trás. O pai saiu da festa para implorar ao filho mais velho, mas estou seguro de que voltou rapidamente para a celebração e a diversão. Jesus suportou a zombaria do planeta inteiro e uma separação necessária do Pai que amava "pela alegria que lhe fora proposta" (Hebreus 12.2).

Davi, o modelo humano definitivo de santidade falhou por meio da graça de Deus, reagiu ao desprezo de Mical com ousadia e declaração incríveis, que soam com o poder da masculinidade inspirada.

> Voltando Davi para casa para abençoar sua família, Mical, filha de Saul, saiu ao seu encontro e lhe disse: "Como o rei de Israel se destacou hoje, tirando o manto na frente das escravas de seus servos, como um homem vulgar!"
>
> Mas Davi disse a Mical: "Foi perante o SENHOR que eu dancei, perante aquele que me escolheu em lugar de seu pai ou de qualquer outro da família dele, quando me designou soberano sobre o povo do SENHOR, sobre Israel; perante o SENHOR celebrarei e me rebaixarei ainda mais, e me humilharei aos meus próprios olhos. Mas serei honrado por essas escravas que você mencionou".
>
> E até o dia de sua morte, Mical, filha de Saul, jamais teve filhos. (2Samuel 6.20-23)

A escolha de Mical de ceder à influência errada, de agarrar-se às decepções do passado e à amargura do presente, teve consequências terríveis para ela e para a casa de seu pai. Seu desdém depreciativo para com o ungido de Deus redundou num ventre estéril, num casamento desprovido de amor e em inúmeros pesares para o resto de seus dias. Até mesmo os cinco sobrinhos que ela criava para seu cunhado foram mortos por antigos inimigos da casa de seu pai (v. 2Samuel 21.8-9).

NÃO CEDA

Muitas vezes as pessoas mais próximas de nós estão despreparadas para as dramáticas mudanças que acompanham nossa passagem para a terra prometida. Elas não estão prontas para a paixão que essa passagem implica. Não conseguem enxergar a mão invisível que agora tem firme controle das rédeas de nosso coração. Tudo o que elas enxergam é o "caçula" que relegaram às benignas "colinas da mediocridade". Ainda enxergam o homem que gostava de brincar com brinquedos de menino, a imagem do potencial fraco que passava horas no quarto dos fundos de sua vida.

Masculinidade significa mudança.

Talvez você seja um entre os incontáveis milhares de homens que saíram um dia de casa e se depararam com o Deus vivo numa colina solitária. Quando você voltou como um homem com planos de guerrear, seu primeiro adversário se levantou nos olhos de sua esposa! Talvez você tenha voltado para casa com grande alegria porque Deus retornou a sua vida e a seus sonhos, somente para ser recebido com zombaria e olhares tortos.

Coragem, homem de Deus! Não ceda em sua decisão de possuir a terra, e os de sua casa cederão à suave persuasão do Espírito Santo! Não se desvie nem para a direita nem para a esquerda e aproprie-se da promessa antiga que Deus fez a outro homem destinado a conduzir os seus na travessia do Jordão, do deserto para a promessa.

> "Não fui eu que lhe ordenei? Seja forte e corajoso!
> Não se apavore, nem desanime, pois o SENHOR, o seu
> Deus, estará com você por onde você andar". (Josué 1.9)

Você pode estar sentindo a mesma inveja cortante enfrentada por homens como o filho pródigo, Abel, Isaque, Israel (Jacó), José, Moisés, Arão, Davi, Salomão, Jesus Cristo e o apóstolo Paulo. Cada um deles enfrentou emoções hostis e às vezes ataques fatais que vieram de seus próprios irmãos, familiares, esposas, compatriotas e colaboradores. Entretanto, eles não se desviaram do destino da masculinidade nos propósitos de Deus. A fidelidade deles trouxe vida eterna e alegria para você hoje.

Quem está esperando nas próximas gerações para provar do fruto de sua obediência e determinação máscula hoje?

Não desanime por causa dos irmãos do outro lado da porta, que invejosamente reclamam de sua volta tardia ao rio Jordão e à casa do Pai. Está na hora de celebrar sua masculinidade! Que nada o detenha. Sua masculinidade trará saúde renovada e bênção a sua vida, sua casa e seu casamento e também às gerações seguintes.

A igreja e as crianças do amanhã clamam por homens que se levantem e guerreiem em favor delas. Deus chamou e reuniu seus filhos para a celebração da vitória. É hora de celebrar, é hora de marcar nossa travessia. Este é o dia em que deixamos de lado as coisas de menino. Este é o dia em que entramos no louvor másculo sem temer a crítica ou a desaprovação. Só estamos preocupados com a opinião daquele que nos chamou, que reservou para nós o anel da filiação e o manto do sacerdócio.

É hora de cada homem de Deus se levantar em sua masculinidade e dançar diante do Rei com todas as forças! Um mundo está esperando para ser possuído e abençoado pelos filhos de Deus, filhos que se tornaram homens e foram libertados do pecado.

Homens de Deus, tenham muita coragem! A festa do *bar mitzvah* está acontecendo, e você é o convidado de honra!

REVISÃO

1. Na história do filho pródigo, o jovem rompeu vínculos com seu pai e juntou-se a um cidadão de um país longínquo. Quais foram as consequências dessa associação? _____
   _____.
2. Amigos ímpios minam aquilo que Deus estabeleceu como propósito da nossa vida e normalmente nos levam a fazer as coisas que mais _____ e _____.
3. Salmos 1.1 nos diz: "Como é feliz aquele que não segue o _____ dos ímpios".
4. A maioria dos casos extraconjugais começa... (Assinale sua resposta):
   a. Quando surge uma oportunidade, e o homem é pego em guarda baixa por uma mulher à solta.
   b. Por pensamentos que gradualmente engolem as paixões e alteram os julgamentos de suas vítimas.
5. Se você quiser ser abençoado, cuidado com a influência de homens _____, ou de homens de Deus que operam seguindo _____.
6. Após nos arrependermos e, tendo o Espírito de Deus restaurado nossa sanidade, o louvor a Deus em nossa boca é forte porque conseguimos ver que escapamos _____.
7. Quando o filho pródigo retorna, é hora de festejar à mesa do Pai, de nos deleitar em nossa masculinidade recém-encontrada e _____ _____.
8. Verdadeiro ou falso: Em meio a sua grande alegria, não é comum que o inimigo o desencoraje. _____.
9. Quando Davi voltou para casa em triunfo com a arca da aliança, ele se alegrou grandemente. Quem o Diabo usou para tentar causar-lhe dor e pesar? _____.
10. Todas as nossas companhias e nossos amigos se alegram grandemente quando optamos por voltar para nosso lugar de direito como filhos de Deus? _____.

11. Quando o filho pródigo encarou seu pecado, arrependeu-se de seus erros e lançou-se nos braços amorosos de seu pai, o irmão mais velho permaneceu obstinadamente em seus _____ e sua _____.

12. _____ às vezes impede que as pessoas que você ama e em quem confia se alegrem com você.

13. A masculinidade requer o _____ de liderar mesmo que alguns nunca cheguem a seguir você.

14. Quando se experimentar libertação e restauração vindas da mão do Pai, o importante é _____, mesmo que ninguém se junte a você! Entre na _____ do Pai e nunca olhe para trás.

15. A Bíblia registra muitos outros homens de Deus que enfrentaram emoções hostis e às vezes ataques fatais de seus próprios irmãos, familiares, esposas, compatriotas ou colaboradores. Nomeie alguns deles: _____
_____
_____.

16. A Bíblia nos diz que, "pela alegria que lhe fora proposta", Jesus suportou a cruz. Quais foram as consequências para a humanidade do fato de esses homens que você listou anteriormente não se terem desviado de seu destino de masculinidade no propósito de Deus? __
_____
_____
_____.

17. Sua masculinidade trará saúde renovada e bênção a sua vida, sua casa, seu casamento e para as _____ seguintes.

MAIS UM DESAFIO: Você já sentiu a zombaria e a rejeição de seus amores e companhias mais próximas? Você está determinado a seguir a orientação de Deus, não importando quanto isso vá custar? Como a "alegria que lhe foi proposta" o ajudará a manter-se determinado? _____
_____
_____
_____
_____
_____.

Quando o fardo não é leve

CAPÍTULO 6

HÁ MOMENTOS EM QUE os homens se percebem lutando para manter um relacionamento que está afundando, no qual a chama da intensidade se apagou e a excitação desapareceu. A verdade nua e crua é que fica difícil reacender a antiga chama quando vivemos um momento no qual preferimos caçar nas vizinhanças a caçar dentro de casa.

Como muitos homens, você pode sentir-se facilmente desanimado quando percebe rejeição ou apatia em sua parceira. Pode ressentir-se por ter de buscar de maneira criativa e agressiva o afeto de sua esposa. O caçador e conquistador dentro de você provavelmente salta diante da chance de explorar qualquer aspiração ainda não realizada. Entretanto, o entusiasmo provavelmente se dissipa quando se requerem atenção e esforço para manter algo que você sente já ter capturado ou realizado.

Talvez você prefira acreditar que, uma vez acendida a chama do amor de sua esposa, pode sentar-se perto desse fogo durante anos, mas isso simplesmente não é verdade. Os ventos gelados da vida normalmente asfixiam as chamas que uma vez balançaram dentro dos olhos dela, deixando para trás apenas cinzas fumegantes que pouco se parecem com o relacionamento empolgante que vocês viveram no passado. Deus conhece sua natureza. Ele quer que você continuamente corteje e ganhe o coração da sua esposa, assim como ele continuamente corteja sua Noiva. É a busca contínua pelo prêmio que atiça as chamas do amor conjugal.

Nosso desafio como homens é superar a reputação de sermos incapazes ou de não termos disposição de reconhecer problemas em nossos relacionamentos. Depois temos de superar nossa propensão a procrastinar após descobrir a existência de um problema. É especialmente doloroso para ambos os cônjuges quando o marido faz mudanças positivas, mas faz isso tarde demais.

Debaixo de nossos bíceps protuberantes e de nossa barriga inchada há uma sensibilidade que a maioria das mulheres não imagina existir, e poucos homens admitirão sua existência. A verdade nua e crua é que a maioria dos homens fica magoada quando sente que mudou, mas a mudança não é aceita pela mulher de sua vida. Percebo que muitas mulheres têm bons motivos para o ceticismo, mas, uma vez que a mulher fique desconfiada das ações e dos motivos do marido, é necessário um mover sobrenatural do Espírito de Deus para fazê-la mudar de ideia.

O ABISMO DO TEMPO

Quando Davi mandou buscar Mical em 2Samuel 3.13, ainda a enxergava como a esposa de sua juventude, seu primeiro amor. Embora mais de sete anos tivessem passado, Davi via Mical envolta por memórias rosadas do começo da juventude. Davi não percebeu a dor que ela havia suportado quando ele fugiu de sua vida para evitar os soldados de Saul. Ele não sabia que havia cicatrizes escondidas debaixo de seu sorriso, lembranças repulsivas das profundas feridas que ela sofrera quando seu pai vingativo, o rei, a rejeitou totalmente e a "deu" a outro homem.

No primeiro ano em que Mical passou como esposa involuntária na casa de um estranho, ela provavelmente tinha uma esperança secreta de que Davi apareceria na porta com a espada em mãos para libertá-la e resgatá-la. Mas ele não apareceu. Mical não sabia do desespero que ele sentiu ao fugir dos exércitos de Saul para não morrer, nem que o marido estava vivendo numa caverna no deserto com um bando de desajustados, rejeitados e afins, escondendo-se numa cidade hostil da Filístia. A Mical que ele recebeu era diferente da Mical que ele havia deixado: ela tinha mudado, e ele também.

Davi atingira agora o ápice da carreira e estava ganhando terreno. Estava em plena operação debaixo da unção de Deus e finalmente superara seus inimigos. As palavras de apoio que lhe trouxeram afirmação nos anos sombrios e os braços amorosos que o envolveram naquela caverna não eram de Mical. Aqueles que uma vez foram recém-casados não tinham separado tempo para conectar-se novamente e construir pontes sobre o abismo de quase uma década de separação.

O garoto-homem que Mical conhecera, e um dia amara, havia morrido numa caverna anos antes. Mil escaramuças com a morte, centenas de vigílias em noites solitárias e tensas, junto com a morte de milhares de inimigos em batalhas sangrentas, tinham transformado o jovem amante de sua memória num visionário atemorizado, mas ungido, que comandava um exército de 250 mil soldados!

Davi agora era o marido de seis esposas além de Mical, mulheres belas que realizaram algo que Mical nunca realizou: deram filhos a Davi. O palco estava armado para o confronto entre Davi e Mical. O cadinho da mudança estava prestes a iluminar e revelar-lhes o conteúdo do coração, e as coisas que eles tinham semeado em secreto durante os anos de sofrimento estavam prestes a gerar uma amarga colheita.

DANÇANDO SOZINHO

> Aconteceu que, entrando a arca do SENHOR na Cidade de Davi, Mical, filha de Saul, observava de uma janela. E, ao ver o rei Davi dançando e celebrando perante o SENHOR, ela o desprezou em seu coração. [...]
> Voltando Davi para casa para abençoar sua família, Mical, filha de Saul, saiu ao seu encontro e lhe disse: "Como o rei de Israel se destacou hoje, tirando o manto na frente das escravas de seus servos, como um homem vulgar!". (2Samuel 6.16,20)

Quando o rei Davi dançou à vista de Mical, ele dançou sozinho. A companheira alegre e dedicada de sua juventude agora era cínica, crítica e fria.

Você já sentiu como se estivesse dançando sozinho? Muitos voltam para casa todos os dias, cheios de empolgação e exultação sobre uma grande vitória ou sucesso na carreira, só para descobrir que a esposa — como Mical — não está nem um pouco impressionada ou interessada. O desdém mordaz pode roubar-nos cada mês e ano de esforço investidos na vitória. As chamas de nossa alegria e felicidade podem ser instantaneamente neutralizadas por um jato de zombaria amarga que sufoca a alma. O maior triunfo na vida de qualquer homem pode ser reduzido a um mero monumento de rejeição por meio de um comentário amargo lançado com olhar torto e gelado de uma esposa invejosa!

Muitas vezes nossos relacionamentos morrem porque não conseguimos discernir os problemas antes que eles se transformem em emergências. Se sua esposa começar a sentir que sua carreira ou seu ministério roubou dela sua atenção, seu afeto ou sua proximidade, ela reagirá como uma mulher rejeitada e uma esposa traída. É como descrevem as palavras de William Congreve:

> *Furor no céu não há, como a afeição em raiva degenerada,*
> *Fúria no inferno tampouco, como a da mulher desprezada.*

Você honestamente espera que sua esposa se sente sozinha numa torre de marfim e fique feliz enquanto você percorre os campos em busca de uma aventura particular? Admita: ela talvez não se divirta em percorrer distâncias na mata procurando o cervo perfeito, ou enfrentando o mago empresarial da Corporação X pelo cliente do século. O coração de sua esposa pode não saltar só de pensar em pregar o evangelho na esquina da Ipiranga com a Avenida São João, mas você deve no mínimo tentar envolvê-la nas coisas mais importantes que você realiza quando está longe dela. Ela fará uma avaliação positiva da liderança e da unção que você mostra em outros lugares caso você mostre liderança e amor por sua esposa em casa!

Você precisa entender que sua aventura pode não corresponder à ideia que ela faz de sucesso. Por esse motivo, é importante *descobrir* o que o sucesso significa para ela. Essa descoberta pode levar você a diminuir o ritmo para sentar-se perto do fogo, ouvir música suave, enquanto ela conta as provações e alegrias da *vida dela* com você.

Irmão, a menos que vocês dois desenvolvam fazer alguns ajustes para alcançar harmonia, você pode ver-se dançando sozinho. Sua disposição de rever seu comportamento e suas percepções cria uma forma de avaliar o tamanho da estima que você tem por sua esposa. (Evidentemente, não há concessões para algumas coisas como a devoção pessoal e sua obediência ao Senhor.)

Se você e sua esposa não conseguirem unir as áreas de trabalho árduo e alegria com amor e cuidado mútuo, você acabará como um dançarino sob os holofotes dançando tango sozinho.

Ficará ridículo, porque sua cara-metade não estará lá, sua cabeça se apoiará contra a escuridão e seu braço enlaçará o vazio.

A separação e a desarticulação não somente acontecem quando você faz sua esposa passar por uma mudança repentina; você também estará condenado a dançar sozinho se vocês não conseguirem crescer juntos. Caso sua esposa seja motivada por uma coisa, e você por outra, é hora de construir uma ponte em cima de alguma alegria comum ou de algum interesse compartilhado. Sem essa ponte, os interesses distanciados podem levar vocês a se afastarem em vez de se unirem!

Tenha consciência de que suas necessidades são diferentes e estão em constante mudança. O que foi importante para você aos 20 anos pode já não ser importante aos 50! É normal que suas prioridades e necessidades mudem com o tempo e a maturidade, mas, caso você não consiga manter sua esposa a par de suas mudanças internas, não se surpreenda nem se irrite se ela continuar dando aquilo de que você precisava no passado e questionar por que a coisa não funciona mais. Nesse momento pode parecer que vocês encontram prazer em lugares opostos. É aí que o coração do homem fica pesado!

Esse peso gera desencanto com a maneira em que as coisas estão acontecendo. Talvez provoque a alienação e a depressão que podem destruir o relacionamento conjugal. Dessa dança lúgubre surge um silêncio mortalmente gelado, e, em algum ponto do casamento, quando ninguém está ouvindo, a música para de tocar.

Quando não existe mais a música entre duas pessoas que uma vez já estiveram unidas pelo coração, cria-se uma sensação de distância artificial. Uma desconjuntada sensação de perda e desinteresse assume o controle das emoções e vontades. Um olha de forma vazia e silenciosa para o outro, de quem *já não está seguro de gostar*.

EM AMARGURA

> Mical, filha de Saul, observava de uma janela. E, ao ver o rei Davi dançando e celebrando perante o SENHOR, ela o desprezou em seu coração. [...]
> Mical, filha de Saul, saiu ao seu encontro e lhe disse: "Como o rei de Israel se destacou hoje, tirando o manto na frente das escravas de seus servos, como um homem vulgar!". (2Samuel 6.16,20)

O original hebraico implica que Mical saiu para encontrar e confrontar Davi com agressividade. Suas palavras parecem favorecer esse argumento. Mical escolheu ser amarga, em vez de positiva, e saiu para colocar o marido "em seu lugar". Infelizmente, Mical não percebeu que o marido estava no lugar que *Deus pretendia que ele estivesse.*

Em sua amargura, Mical adotou três atitudes e pecados mortais com consequências muito desagradáveis.

Em primeiro lugar, ela escolheu observar o retorno triunfante do marido ficando sozinha e distante, em *apatia*. Observou a volta do maior símbolo da liderança de Deus para sua nação da escuridão de seu quarto, examinando indiferente a multidão em júbilo. Era uma espectadora desprovida de alegria, não uma participante apaixonada (na verdade, os homens são culpados desse pecado com mais frequência do que as mulheres!).

Mical também se entregou a uma *inveja* consumidora e autocentrada que tinha raízes em cada parte de sua personalidade e memória! Desprezou Davi por louvar Deus de maneira desinibida. Isso significa que, a fim de "agradá-la", ele precisaria subtrair de Deus o louvor e adoração a ele devidos. Mical queria possuir o marido, mesmo que isso significasse roubar de Deus seu coração e subtrair de Jeová seus louvores! Seu pai, o rei Saul, fez a mesma coisa anos atrás, antes de ter escolhido cobiçar o louvor dos homens em vez da aprovação de Deus. Saul queria em primeiro lugar agradar aos homens e depois pedir desculpas a Deus. Por Mical ter ousado cobiçar o que pertence somente a Deus, seu ventre vazio foi condenado a permanecer estéril pelo resto de seus dias!

Em terceiro lugar, Mical estava repleta de *zombaria*. Ela se assentou "na roda dos zombadores" descrita em Salmos 1.1 e ridicularizou o marido publicamente por três motivos.

Em primeiro lugar, ela zombou de Davi porque ele não estava agindo como um rei, e isso significava que a conduta de Davi não se assemelhava à forma de agir do pai de Mical, Saul. Davi era um plebeu que tinha aberto caminho até o "topo" por meio de obediência e devoção a Deus. A questão é que, se Deus tivesse desejado outro rei como Saul, teria ungido um rei assim. Deus não fez isso porque escolheu cuidadosamente Davi, um homem segundo seu coração. Não ajudou nada o fato de Davi ter acabado de substituir o irmão de Mical no trono de Israel, cumprindo a promessa divina de tirar Saul e seus descendentes do trono em favor de Davi. O último vínculo de Mical com a "vida da realeza" desaparecera. Ela só podia apegar-se a esta condição especial por meio do homem com quem se casara e que agora desprezava.

Em segundo lugar, Mical estava especialmente cheia de zombaria porque, em sua opinião, o marido se expusera à vergonha (expondo-a também) na frente das escravas de seus servos. Davi estava adorando Deus sob a unção do Espírito Santo, e todas as suas inibições tinham sido tiradas dele. Estava cumprindo o grande mandamento ao adorar o Senhor com toda a força e intensidade. (De alguma maneira, não acho que Davi ficaria satisfeito em permanecer sentado num banco de igreja, cantando hinos desprovidos de vida e cruzando as mãos durante um sermão árido!). Esperava-se que Mical entendesse melhor a situação. Seu próprio pai também se tornara uma lenda em todo o Israel; quando o Espírito de Deus caiu sobre ele, ele profetizou diante de Samuel, tirou todas as roupas e ficou deitado, nu, diante de Deus durante um dia e uma noite! (V. 1Samuel 19.24.)

Por fim, Mical comparou o rei Davi com alguém fútil e sem valor porque ele ousou adorar Deus livremente! Ele estava adorando, pulando e dançando somente para agradar a Deus, mas Mical tirou do poço amargo de seu coração a acusação sorrateira de ele ter-se exposto para conquistar o coração e inflamar o desejo das escravas! Mical estava chamando o bem de mal, e o mal, de bem. A implicação era que extinguir o Espírito de Deus, restringir a alegria do Senhor, reter a enxurrada de louvores na volta triunfante da *shekinah*, ou glória visível de Deus, a Israel seria um "bem". A desinibida adoração e o relacionamento íntimo de Davi com Deus eram a força impulsionadora por trás de tudo o que Mical desprezou.

VÁ ATÉ O CORAÇÃO

Por baixo da raivosa atribuição de culpa e da pressão desesperada das desculpas lacrimosas, a questão é simples. Desafia o tratamento intelectual porque é um assunto do coração. Davi tinha mudado, mas a motivação que o impulsionava era a mesma do dia em que ele enfrentou Golias. Davi amava Deus e quis honrá-lo.

Mical também tinha mudado, mas a mudança estava nas motivações e nos impulsos mais profundos de seu coração. Os cônjuges tinham magoado um ao outro, mas, enquanto Davi escolheu desafiar as circunstâncias e melhorar, Mical se rendeu às circunstâncias e amargurou-se. A mesma mulher que havia salvado Davi em sua angústia zombou dele em seu triunfo!

A questão é: "Eu toquei minha música, e você perdeu a entrada". O epílogo não pronunciado é "O que aconteceu com você?".

A tragédia chega a nosso casamento quando deixamos de *discutir* nosso desânimo em vez de bater boca por causa da culpa. Na maior parte do tempo, chegamos a esse ponto com excessiva bagagem e angústia repletas de carga emocional e nos lançamos numa argumentação acalorada, não na discussão e mediação. Existe uma diferença entre discussão e briga. A discussão *ventila a questão*, mas a briga *levanta acuações e aponta culpados*.

É difícil lidar com a acusação se não conseguimos prestar atenção aos motivos subjacentes para a resistência de nossa esposa. Por exemplo, sua esposa pode estar dizendo: "Perdi a entrada porque *você* mudou a música no meio da dança. Você trocou a música lenta e romântica por uma grosseira marcha e me deixou sozinha na cena enquanto pavoneava em torno de mim em círculos, sem dar a mínima atenção a minha renúncia constrangida. Você mudou os objetivos e as diretrizes. Quando começamos, nosso plano era vir até aqui, mas agora você está indo para lá! Por que você me deixou fora disso? Você mudou sem aviso nem comunicação. Você não conseguiu dar-me um sinal, e esta guinada abrupta me deixou sozinha e distante!".

Um visionário precisa ter a capacidade de se comunicar, mas, na maior parte do tempo, os homens são a espécie menos comunicativa deste planeta! Deus sempre pretendeu que fôssemos além dos grunhidos e gestos que nos dizem ser herdados dos macacos! Nós superamos esse estágio por volta dos 2 anos de idade, mas parece que entramos novamente na infância no dia em que casamos! Não sei onde arranjamos esse sistema de comunicação gutural, quase não verbal. Preciso confessar que eu também com frequência pensei em ideias sobre os quais *deveria ter falado* e depois fiquei me perguntando por que não havia nenhuma reação por parte da noiva da minha juventude. A resposta é simples: ela não consegue "ouvir" minha mente!

REVISÃO

1. Muitos homens se sentem desanimados quando percebem _____ ou _____ em sua parceira.
2. Os homens, na maioria, preferem explorar campos ainda não conquistados a _____ algo que eles pensam já ter capturado ou realizado.
3. Verdadeiro ou falso: Uma vez acendida a chama do amor de sua esposa, um homem pode sentar-se perto desse fogo durante os anos que virão. _____.
4. Deus quer que você continuamente corteje e ganhe o coração da sua esposa, assim como ele continuamente corteja _____ _____.
5. Nosso desafio como homens é superar a reputação de sermos incapazes ou de não termos disposição de _____ em nossos relacionamentos antes que se transformem em emergências.
6. Após descobrir a existência de um problema, temos de superar nossa propensão a _____.
7. A maioria dos homens fica _____ quando sente que mudou, mas a mudança não é aceita pela mulher de sua vida.
8. Quando uma mulher fica desconfiada das ações ou dos motivos de seu marido, é necessário um _____ do Espírito de Deus para fazê-la mudar de ideia.
9. A alegria de uma grande vitória ou sucesso na carreira de um homem pode ser rapidamente neutralizada por um comentário zombador feito por uma _____ invejosa ou amarga.
10. Se sua esposa começar a sentir que sua carreira ou seu ministério roubou dela sua _____, seu _____ ou sua _____, ela reagirá como uma mulher rejeitada e uma esposa traída.
11. Todo homem deve tentar _____ sua esposa nas coisas mais importantes que realiza quando está longe dela.
12. Verdadeiro ou falso: Sua esposa apreciará a liderança e a unção que você mostra em outros lugares caso você mostre liderança em amor por ela dentro de casa. _____

13. Já que homens e mulheres têm ideias diferentes sobre o que significa fazer sucesso, é importante você _____ o que o sucesso significa para sua esposa.
14. A disposição de um homem de rever seu _____ e suas _____ cria uma forma de avaliar o tamanho da estima que ele tem por sua esposa.
15. Se você fica motivado com uma coisa, e sua esposa com outra coisa, é hora de construir uma ponte em cima de alguma _____ _____ ou _____.
16. Liste três áreas de alegria e interesse comum que você poderia desenvolver e que o aproximariam de sua esposa:
    a. _____
    b. _____
    c. _____
17. Se você não mantiver sua esposa a par de suas _____ internas, ela pode continuar dando aquilo de que você precisava no passado e questionar por que a coisa não funciona mais.
18. Quando Mical confrontou Davi para pôr o marido "em seu lugar", o que ela não percebeu? _____
_____
_____.
19. Em sua amargura, Mical adotou três atitudes e pecados mortais. Quais foram?
    a. _____
    b. _____
    c. _____
20. A tragédia chega a nosso casamento quando deixamos de discutir nosso _____ em vez de bater boca por causa da _____.
21. Qual a diferença entre uma discussão e uma briga? _____
_____
_____
22. "Eu toquei minha música, e você perdeu a entrada" é outra maneira de dizer: _____
_____
_____.

23. Um passo simples que um homem pode dar para melhorar a comunicação com sua esposa é ir além dos _____ e _____.
24. Verdadeiro ou falso: Sua esposa consegue "ouvir" sua mente.
_____

MAIS UM DESAFIO: Normalmente não atentamos para os motivos subjacentes à resistência de nossa esposa. Esses motivos desafiam a compreensão intelectual porque são assuntos do coração. Em atitude de oração, examine seus conflitos conjugais, escreva-os num papel e peça que o Senhor revele as mais profundas motivações e necessidades de sua esposa. Medite naquilo que o Senhor disser a você. _____
_____
_____
_____
_____

Casamento: missionários ou homens?

Capítulo 7

Muitas vezes o medo da rejeição oprime o coração dos homens, que ficam traumatizados e paralisados por esse medo. Talvez sejamos fisicamente fortes, mas os bíceps salientes, as costas largas e a voz grave não passam de peças externas que servem de decoração (e ocultação) para um coração frágil e uma alma temerosa, trancafiada sob nossa carapaça masculina! Nós nos cercamos de imagens de sucesso para esconder nossos medos secretos.

Suspeitando do luxo e da moda, nós nos isolamos atrás de fachadas e nos escondemos sob as folhas de parreiras que são nossos elaborados esforços para impressionar. A verdade é que a maioria dos homens é insegura. "Se eu me entregar a você, você também se entregará? Se eu baixar minha guarda, você baixará a sua? Se eu errar, você vai rir de mim? Se eu não fizer algo direito, você me abandonará?" Estas perguntas assombram os labirintos do coração dos homens, que aprenderam a vida inteira que deveriam mostrar desempenho.

Dos campos de futebol aos escritórios de negócios, dos assentos na igreja até o quarto de dormir, os homens se debatem com a exigência do *desempenho*. Com toda franqueza, essa teatralidade toda nos está esgotando. À medida que os muros que protegem nossa personalidade desmoronam sob as pressões externas crescentes, ficamos cada vez mais parecidos com um ator representando um papel. A tragédia é que, por baixo dos acessórios, das máscaras e da iluminação estressante do palco, somos apenas homens. Se tirarem de nós todo decoro e toda pose, o garotinho que existe dentro de nós ficará tremendo de medo ao lado dos trajes elaborados, agora espalhados pelo chão. O garotinho de lá de dentro se pergunta silenciosamente: "Será que sou suficiente?".

MISSIONÁRIOS CONJUGAIS

O medo gera uma série de mecanismos de defesa, e a maior parte desses mecanismos é mais perigosa e bizarra que as inseguranças que eles tentam driblar. Os maiores problemas surgem em nosso casamento quando decidimos tornar-nos "missionários conjugais". Missionário conjugal é o homem que pensa ter sido chamado para mudar sua esposa em vez de entendê-la! O homem secretamente inseguro pensa ser algum tipo de grande missionário com uma mensagem, enquanto enxerga a esposa como uma nativa simplória que precisa de cuidado e orientação!

Estamos tão convencidos de que o "meu modo de agir é o modo certo" que deixamos de perceber que, num casamento entre dois adultos, normalmente não existe um modo certo nem um modo errado — existem apenas perspectivas divergentes.

Você já chegou a pensar nas consequências de toda a confiança que tem no "seu modo de agir"? Que tipo de confusão você teria em mãos caso obtivesse sucesso na "evangelização" e conversão da sua esposa para seu modo de fazer as coisas? Creia: faça o que fizer, *afaste-se da posição do missionário!*

Deus não gosta quando você sai por aí mudando a criação dele. Além do mais, você mostra uma evidente arrogância egoísta sempre que tenta alterar os outros sem verificar em sua própria vida as "coisas de menino" que poderiam ser modificadas. A verdade é que o garotinho dentro de você está tentando montar barricadas a seu redor para criar um "lugar seguro" em meio a sua multidão de medos.

Garotos brincalhões e homens temerosos procuram controlar o ambiente que os rodeia. Homens seguros não forçam aqueles que os cercam a se conformarem a algum padrão artificial. Pelo contrário, são fortes o suficiente para compartilhar o mundo deles com pessoas que são diferentes. Se Deus tivesse desejado uma uniformidade insossa, certamente ele não teria dividido a raça humana nos gêneros masculino e feminino!

Além disso, a filosofia feminina de sua esposa e a sensibilidade própria das mulheres são, cada qual, uma característica e um recurso, não um defeito ou deficiência! Se sua esposa fosse "igualzinha a você" quando você estava em campo buscando companhia, o provável é que você rapidamente teria emburrado ou perdido o interesse!

Resumindo, a mulher singular com quem você casou nunca foi pensada nem projetada para ser um "produto" que você pudesse arrogantemente "moldar à sua imagem". Só existe uma imagem digna o suficiente à qual devemos moldar-nos, que é a imagem de Cristo Jesus.

Caso você não tenha percebido isso nos últimos dias, acorde: sua esposa é uma mulher! (Por si só, este fato deveria ser suficiente como alerta.) Ninguém espera que ela seja igualzinha a você! Caso você não consiga aceitar esta verdade, espero que esteja preparado para viver o resto de sua vida como um desgraçado, um sobrecarregado. Basta você lembrar que as pessoas que insistem em bater a cabeça na parede não têm direito de reclamar de dor de cabeça.

Às vezes nos debatemos com o fracasso porque temos uma definição distorcida do "sucesso". Sempre que você sentir necessidade de mudar pessoalmente sua parceira, de alterar o modo de ela agir para se conformar a seus próprios padrões "superiores", certamente você experimentará fracasso e frustração (e provavelmente merece isso). É praticamente certo que ela se tornará uma mulher frustrada porque, mesmo que faça as mudanças que você exige, certamente *você mudará as exigências* com o passar do tempo!

É de espantar que nossa esposa fique ressentida? Nós a amarramos numa situação em que ela não pode jamais sair vitoriosa. É difícil ter intimidade com alguém que nos faz sentir que deveríamos usar uma saia feita de capim e um osso atravessado no nariz!

Os cidadãos de cada país neste planeta se ressentem profundamente com qualquer missionário tolo o bastante para desconsiderar ou desprezar a cultura local e a ascendência étnica. No entanto, persistimos cegamente no esforço de "reformar e recriar" nossa esposa a nossa imagem, embora saibamos que ela ficará ressentida!

Irmão, o sucesso em sua vida não pode depender de seu sucesso em recriar sua companheira. A triste realidade é que, caso a natureza dela seja tão importante para você, então você deveria ter feito um favor a ela e casado com alguém que já tivesse o tipo de personalidade "aprovada". Já que você não fez isso, é sua responsabilidade aprender a fazer uma avaliação positiva da diferença entre os dois. Você pode surpreender-se quando Deus revelar que ele introduziu em sua esposa algumas características às quais você precisa desesperadamente se conformar!

Às vezes tentamos mudar os outros como uma forma de esconder nosso próprio incômodo. O espírito da transferência de culpa toma conta, e começamos a dizer e a acreditar: "É por sua causa que não sou feliz!". Alguns homens estão péssimos porque não se realizam nos relacionamentos. Muitos que buscam relacionamentos múltiplos ainda assim continuam infelizes: a infidelidade não passa de uma máscara para o vazio e o medo da solidão, com a leve ilusão promovida pela excitação. Entretanto, quando a fina camada do verniz da excitação se dissipar, o vazio permanece.

BOI OU JUMENTO?

> "Não are a terra usando um boi e um jumento sob o mesmo jugo." (Deuteronômio 22.10)

É importante exercer a maturidade nas escolhas que fazemos, especialmente quando escolhemos nossa companheira de vida. Não podemos dar-nos ao luxo de ser impelidos pela luxúria, nem de escolher uma companheira meramente com base em algum atributo externo (você se surpreenderia com a rapidez em que os atributos externos mudam).

Assim que a lua de mel terminar, e tão logo a camada externa tenha descascado, você terá de viver com o ser humano que está ali dentro. É triste ver que tantos homens ficam tão distraídos com o pique hormonal disparado pela atratividade externa de uma mulher durante a conquista que nunca examinam de fato o que a mulher tem por dentro. Em resumo, eles ficam tão impressionados com a embalagem que nunca se dão conta do que está dentro da embalagem! A tragédia é que realmente nos casamos com o conteúdo, não com a embalagem.

Deuteronômio 22.10 nos adverte de que é contraproducente pôr um boi e um jumento na mesma canga. Certifique-se de estar associando-se a gente da mesma "espécie". De fato, os opostos se atraem, e efetivamente interagem, mas, quando chega a hora das motivações e dos impulsos mais profundos do coração, é preciso que haja compatibilidade. O apóstolo Paulo advertiu: "Não se ponham em julgo desigual com descrentes. Pois o que têm em comum a justiça e a maldade? Ou que comunhão pode ter a luz com as trevas?" (2Coríntios 6.14).

Não ponha a canga sobre um "jumento" para depois tentar transformá-lo num "boi".

A escolha é uma liberdade grandiosa que os homens parecem não captar plenamente. Os cristãos parecem especialmente propensos a decisões apressadas, e creio que boa parte disso deve-se ao fato de que muitos homens estão tentando superar a luxúria valendo-se da fornicação. Eles rapidamente se comprometem e depois se arrependem da decisão que tomaram porque não foi o cérebro que tomou a decisão!

Sempre me admiro com homens que pulam cegamente de um relacionamento rompido para outro compromisso fadado à destruição. O irmão Hormônio é esmagado por causa de um divórcio e, mesmo assim, dez meses depois de se arrebentar de tanto chorar, e de perder metade da sua renda para a pensão dos filhos, lá vem ele outra vez, agora de braços dados com a irmã Benedita Tonapaz! Ele diz: "Pastor, estou pronto para me casar!", e fico com vontade de mandá-lo fazer uma avaliação psicológica! Eu fugiria desse sofrimento como o Papa-léguas do desenho animado foge do Coiote! Mas aí está o irmão Hormônio, pronto para entrar em outro casamento sem tomar uma decisão racional e consciente.

Muitos homens caem nesse perigoso padrão porque estão lutando com a solidão ou a luxúria. Alguns homens nunca viveram um único momento sem ter alguém a seu lado e se aterrorizam diante de possibilidade de ficar sozinhos. As perguntas que o irmão Hormônio deveria fazer a si mesmo são: "Estou apaixonado pela Benedita Tonapaz, ou apaixonado pela ideia de me casar? Estou só achando que consigo viver com ela, ou é inconcebível viver o resto de minha vida sem ela?".

Se você insensatamente deixar-se pôr numa canga com um jumento, e sentir no coração que é um boi, vocês dois se empurrarão pelo resto da vida. Como você sabe, o jumento quer brincar e divertir-se, enquanto o boi quer trabalhar e progredir. Não existe absolutamente nada pior neste mundo do que carregar sua própria carga e depois ter de voltar para carregar a carga de sua esposa e sua própria esposa! Não é de admirar que tantos bons homens estejam sucumbindo logo no início. Os bons homens não estão morrendo de infarto; estão morrendo de escolhas ruins!

Caso você seja solteiro ou divorciado, por favor ore sobre essas questões, e seja honesto com seu coração e com sua pretendente. Nunca se ponha sob jugo com alguém só por causa de sexo, imagem, parceria, negócio, ministério ou dinheiro! Você ficará péssimo! Deus sabe que o jugo não será fácil, mesmo que você escolha a companheira certa! Por quê? Deus usa o jugo da aliança de casamento para trabalhar em nós coisas que provavelmente não poderiam ser trabalhadas de outra maneira. É trabalho árduo viver em amor, intimidade, honestidade e harmonia com outro ser humano durante meio século! Francamente, talvez o casamento seja o solo mais rico para milagres no coração humano.

A esta altura, sei que deixei alguns rapazes deprimidos e perturbados, achando que inadvertidamente se casaram com a pessoa errada! Se é assim que você se sente, não se preocupe; você não é o único! A maioria tem dúvidas como essa uma vez ou outra durante a vida matrimonial.

O que o boi faz se achar que se casou com uma mulher de outra espécie? *Ele pode orar!* Sim, eu sei que talvez essa não seja a solução da sua preferência, mas você já chegou a orar de verdade em favor de seu casamento? Ah, não, não me refiro àquelas orações "Senhor, corrija minha esposa". Estou falando das orações que sondam a alma, que abrem o coração: "Deus, talvez eu esteja nesta situação para me tornar mais parecido com o Senhor. O que preciso fazer para amar corretamente minha esposa? Confesso que não estou tendo êxito em amá-la, não a amo incondicionalmente como o Senhor me ama. O Senhor já sabe que nunca tive modelos a seguir em minha infância, modelos que me levassem a um casamento íntegro. Mas, Deus, eu aprendo se o Senhor me ensinar!".

AMAR COMO JESUS

> Maridos, ame cada um a sua mulher, assim como Cristo amou a igreja e entregou-se-por ela. (Efésios 5.25)

Que mandamento desafiador para um homem! Deus ordena que imitemos seu Filho, o amor em pessoa. Devemos edificar nosso amor de acordo com seu padrão, o padrão do autossacrifício e da completa submissão à vontade de Deus.

Quantos de nós podemos dizer que amamos a esposa como Cristo amou a igreja? Não muitos, se é que existe alguém.

Quase consigo ouvir você dizer: "Você simplesmente não conhece o gênio de minha mulher! Estou péssimo. Essa mulher briga o tempo todo e me diminui em tudo o que eu tento fazer. Sou um boi casado com uma jumenta! Desculpe-me, mas eu não quero amá-la: quero largá-la!".

Ouço seu protesto e compreendo sua frustração, mas você precisa de uma boa dose da verdade: *Você estará deixando para trás sua maior oportunidade de transformar um teste num testemunho.* Além do mais, homem de Deus, como você pode largar sua esposa se não leu as instruções na seção "Consertando Problemas" do Manual (a Bíblia)? Ou você já leu, mas, ao contrário de Jesus, simplesmente não seguiu as instruções? Em qualquer dos casos, você é indesculpável.

A parte mais desafiadora de Efésios 5.25 para a maioria dos homens não é apenas o amor, mas a entrega. Os homens são mestres em dar coisas. Damos conselhos, provisão e sexo. Mas temos grandes problemas quando se pede que nos *entreguemos*! Cristo se entregou. Ele deu atenção, afeto e segurança. Estes presentes normalmente não são colocados debaixo das árvores de Natal. Você pode ser um mestre em dar coisas, mas a verdade é que sua esposa não precisa de mais coisas: ela precisa de *você*!

As mulheres normalmente se perguntam quais pensamentos estão guardados atrás dos olhos desgastados de seus homens quando a conversa cai num lapso de silêncio. Elas se perguntam, em silêncio e entre si: "Para onde os homens vão quando caem em silêncio e ficam distantes?". O silêncio envolve o homem como um cobertor, isolando-o dos frios insultos da rejeição. O silêncio faz para o homem calado aquilo que a piada faz para o comediante: protege-o do risco de rejeição e lhe dá uma lente através da qual observar enquanto se ajeita num local seguro de introspecção.

Ribombando debaixo do silêncio, as piadas, as pilhérias ou qualquer que seja a camuflagem, ferve o caldeirão tempestuoso de atrito e frustração. Se emergirmos da concha e sacrificarmos nossa proteção, achamos que seremos aplaudidos ou vaiados no palco. Por isso bolamos um curso de ação mais seguro, fechamos as mãos como tartarugas dentro do casco e só damos *aquilo que não nos importamos em perder*. Damos apenas aquilo que arriscamos quebrar-se ao chão: damos coisas!

Sei que fazemos o máximo para gabar-nos e fingir que realmente somos os machões que fingimos ser no exterior. Mas creio que os homens, na maioria, acham difícil entregar-se porque normalmente têm medo de si mesmos. Temermos ficar expostos por aquilo que verdadeiramente somos e temermos reconhecer que somos vulneráveis. Deus se levantou para nos despir até chegar ao cerne. Não importa quão válidos sejam nossos argumentos, quão traumática seja nossa aparência ou quão desesperadamente queiramos evitá-los, precisamos confrontar nossos medos! Se não os resolvermos, que pelo menos os enfrentemos! O investimento que fazemos no casamento precisa ir além das "coisas". É preciso atravessar o Jordão; é preciso subir a colina para chegar aonde, tal qual Jesus, *nós nos entregamos*.

Irmãos, dar coisas é maravilhoso. Deus nos deu o sol, a lua e as estrelas. Ele nos deu o dia e a noite, as incríveis estações do ano. Deu-nos até quedas d'água ou cascatas e praias banhadas de sol. No entanto, nenhuma dessas *coisas* salvou nosso relacionamento com ele! Por fim, ele se cansou de nos dar leis, ordenanças e rituais. Ele se cansou de nos dar profetas, sacerdotes e reis. Ele decidiu entregar-se e, quando o fez, salvou um mundo moribundo!

Não importa quanto você dê para sua esposa e sua família em outras áreas, você precisa *dar a si mesmo*. Sim, você pode fazer a diferença. Você mesmo. Sua atenção pessoal, sua afeição amorosa e sua segurança gentil podem reacender um relacionamento desgastado! Se você não deu essas coisas a sua esposa, então olhe para seu casamento da perspectiva dela. Você pode ficar chocado ao perceber que, do ponto de vista de sua esposa, ela é o boi e você é o jumento!

NÃO É FÁCIL, MAS É POSSÍVEL

Quero confessar que não é fácil cobrir todos os assuntos que Deus pôs em meu coração para você. Mas, se você acreditar na soberania de Deus como eu acredito, então saberá que Deus pode transformar em bem uma decisão ruim. Ele pode tirar um milagre de dentro de um erro.

Também saberia que o fardo do casamento não é leve nem perfeito. O casamento é simplesmente a união de duas pessoas imperfeitas que estão tentando edificar uma vida perfeita em Cristo. É certo que nos surpreenderemos tropeçando e caindo ao longo do caminho. Mas o milagre do casamento não se encontra na queda; isso nós conseguimos fazer sozinhos. O milagre acontece no ressurgimento, no renascimento do amor, no reacender da chama, numa capacidade de perdoar que se estende da cruz do Calvário até os vincos nos lençóis do leito conjugal.

Reconheço que sou tão humano quanto você. Não sou perfeito nem sirvo de padrão; sou apenas um irmão criado no corpo de Cristo para ajudar você a combater a praga do sofrimento. Essa praga pode ter embotado seus olhos e atacado seu coração, mas, pela graça e misericórdia divinas, estou aqui para orar por você. Estou orando por seus medos e suas inibições. Estou orando por suas frustrações e limitações. Quero que sua casa seja um lar. Quero que sua esposa seja sua amiga. Quando você se deita à noite e enrola seu corpo exausto nos lençóis macios de seu relacionamento conjugal, quero que você se sinta descansado.

Minha oração é que sua dor diminua e sua confiança aumente. Que Deus dê a você a graça de deixar seus problemas no escritório no fim do dia e levar *a si mesmo* para casa de noite. Quando sua cabeça repousar no travesseiro e seus braços buscarem amor e compreensão, que estejam tão abertos para dar quanto para receber. Deus deu a você vida, e você está vivo. Compartilhe sua vida com aquela que Deus entregou a você para que a ame.

Você não precisa ser um missionário para sua esposa. Você não precisa mostrar um desempenho perfeito. Você nem mesmo precisa tirar nota dez. Só precisa ser homem. Sua noiva não precisa "converter-se" à sua imagem, tampouco precisa mostrar um desempenho perfeito ou tirar dez sempre. Ela só precisa ser uma mulher, uma genuína mulher de Deus. Forte e fraca. Sábia e tola. Certa e errada. Em tudo isso, vocês ainda estão sobrevivendo... descanse em paz!

REVISÃO

1. Muitos homens temem secretamente ser _____ — eles ficam traumatizados e paralisados por esse medo.
2. A pressão pelo desempenho é resultado de nossos elaborados esforços para _____ os outros.
3. Sob nossa fachada máscula, o garotinho dentro de cada um de nós se pergunta: "_____"?
4. O que é um "missionário conjugal"? _____ _____.
5. Num relacionamento conjugal, normalmente não existe um modo certo ou errado, apenas _____.
6. Como homens temerosos, procuramos controlar nosso ambiente tentando montar barricadas ao redor para criar um "_____ _____" em meio a nossa multidão de medos.
7. Homens seguros são suficientemente fortes para compartilhar seu mundo com pessoas que sejam _____.
8. Verdadeiro ou falso: Deus quis uma uniformidade insossa, por isso dividiu a raça entre os gêneros masculino e feminino. _____
9. Se tentarmos continuamente mudar nossa esposa a nossa imagem, ficaremos _____ e _____ pelo resto da vida.
10. Sempre que você sentir necessidade de mudar pessoalmente sua parceira de acordo com seus próprios padrões "superiores", com certeza experimentará _____ e _____.
11. Quando você tenta continuamente _____ sua esposa, ela se sente frustrada e ressentida.
12. Verdadeiro ou falso: Deus introduziu em sua esposa algumas características que você precisa desesperadamente ter em operação em sua vida. _____.
13. Como homens, temos muita confiança em fazer as coisas "de nosso modo". Olhando em retrospecto, você consegue enxergar as vezes em que Deus interveio e usou sua esposa para o livrar das consequências perigosas de fazer as coisas de seu modo? _____ _____

_____
_____.

14. De fato, os opostos se atraem, e efetivamente interagem, mas, quando chega a hora das motivações e dos impulsos mais profundos do coração, é preciso que haja _____.
15. Por que os homens caem na armadilha de escolher apressadamente uma companheira? _____
_____.
16. Deus usa o jugo da _____ de _____ para trabalhar em nós coisas que provavelmente não poderiam ser trabalhadas de outra maneira.
17. O que você pode fazer se achar que, mesmo sem querer, casou-se com a pessoa errada? _____
_____.
18. O padrão que Jesus deu para amar a esposa inclui _____ e _____ à vontade de Deus.
19. Você pode ser um mestre em dar coisas, mas sua esposa não precisa de mais coisas: ela precisa de _____.
20. Sua atenção pessoal, sua afeição amorosa e sua segurança gentil podem _____ um relacionamento desgastado.
21. Verdadeiro ou falso: Pelo fato de Deus ser soberano, ele consegue transformar um erro num milagre. _____.
22. Onde o milagre do casamento acontece? _____
_____
_____.

MAIS UM DESAFIO: Que mudanças você pode fazer para entregar-se a sua esposa? Liste dez maneiras de compartilhar sua vida com aquela que Deus deu a você para amar. (Inclua as barreiras que você precisa derrubar.)

1. _____
2. _____
3. _____
4. _____
5. _____

6. _____
7. _____
8. _____
9. _____
10. _____

Liste algumas atividades específicas que você poderia fazer para desenvolver seus interesses comuns. (Vá marcando as atividades, uma por vez, à medida que as realiza!)

1. _____
2. _____
3. _____
4. _____
5. _____
6. _____
7. _____
8. _____
9. _____
10. _____

Homens poderosos também precisam de descanso

Capítulo 8

Vivemos quase como se estivéssemos do lado perdedor numa área de guerra! Os jovens estão cansados, e os velhos estão exauridos. O que aconteceu com nossa alegria e força, nosso zelo pela própria vida? Estamos exaustos demais para lutar contra a injustiça e esgotados demais para vencer a fadiga.

O que aconteceu entre os braços de nossa mãe e a saída do ninho? O que produz nossos acessos de raiva? Fazemos parte de uma geração de homens desgastados, cuja fadiga é exemplificada nos ataques raivosos e na violência doméstica selvagem! Em nossa época os homens buscam desesperadamente um lugar restaurador — qualquer lugar. Procuramos um oásis para fugir das responsabilidades áridas que consomem as horas restantes de nossa vida. Procuramos um lugar para fazer intervalo, um refúgio de repouso restaurador. A contínua negação de nossa necessidade de descanso nos está deixando à beira do precipício! Precisamos de férias do estresse e da coerção das atividades diárias.

PÕE-ME A SALVO NA ROCHA

> Desde os confins da terra
> eu clamo a ti,
> com o coração abatido;
> põe-me a salvo na rocha mais alta do que eu.
> Pois tu tens sido o meu refúgio,
> uma torre forte contra o inimigo. (Salmos 61.2,3)

O coração de Davi estava esmagado quando ele escreveu o salmo 61. Como aconteceu a Davi, o estresse e os apuros nos fazem gritar de dor, enquanto somos assombrados pelos fracassos e infestados de tentações. Nossos erros roubam de nós os consolos com que a vida nos brinda. Os remorsos nos deixam sedentos por uma segunda chance. "Se eu pudesse começar de novo, passaria mais tempo com meu filho... passaria mais tempo com minha esposa... como posso recuperar o que perdi?"

Nunca poderemos reacender o acolhimento do ventre materno que incubou nossa masculinidade, nem recuperar e reviver os dias em que nossos pais nos moldaram e nos ajudaram a crescer. O doce sabor da infância, uma vez saboreado, dissipa-se para sempre, e nos resta ser estáveis e responsáveis.

Todo garoto que está à altura do teste, e tenta ser um homem, rapidamente percebe que *a necessidade é maior que a oferta*. É a ele que precisamos entregar esta mensagem urgente! Não há nada de errado com o esgotamento. Até Cristo ficou esgotado.

No entanto, sentimos como se o mundo inteiro se pendurasse em nossos ombros! Nossos joelhos se dobram sob o peso insuportável das expectativas daqueles que nos rodeiam. O que há de errado conosco? O problema não é que precisamos fazer uma pausa. Precisamos identificar e definir *quem realmente somos com base em que buscamos alívio*.

Irmão, precisamos ir além de ser cristãos. Permita-se ser treinado para saber onde descansar em segurança. Não é seguro descansar em qualquer lugar, com qualquer pessoa! Em algum lugar, neste exato momento, algum homem esgotado tenta descansar nas rochas pontiagudas de um relacionamento pecaminoso. Ele está flertando com o perigo e brincando com a morte!

A EXAUSTÃO FATAL DE SANSÃO

À semelhança do Sansão bíblico, a maioria de nós consegue suportar ataques, perigos, angústias e críticas. Conseguimos sobreviver a casamentos fracassados e pais idosos. Conseguimos sobreviver até mesmo à fraqueza moral, à decadência e ao conflito. É a *exaustão* que ameaça minar nossas forças!

Você percebeu que Dalila não matou Sansão? É verdade. *Sansão morreu de esgotamento!* Ele poderia ter lidado bem com Dalila se não tivesse ficado tão cansado. Apesar disso, o pecado de Sansão não foi ter "ficado cansado". Ele caiu em pecado porque foi descansar no lugar errado.

Meu amigo, *mantenha a cabeça longe do colo de Dalila!*

Ai do "Sansão de hoje"! Ele tem força, vigor, poder e potencial. Sua carreira, seu talento, seu ministério ou outra coisa qualquer têm um potencial fantástico que ele considera recompensador. Ele pode arrancar portões que não saem do lugar e suportar circunstâncias insuportáveis para obter lucros ou vencer confrontos. O Sansão moderno tem uma força e uma capacidade incrível de sobreviver à pressão. Se você jogá-lo nu no deserto, num ano ele ressurge das dunas vestindo um terno novo e um par de sapatos feitos com couro de jacaré!

Abençoado com o sucesso e, ao mesmo tempo, amaldiçoado com a ambição, os Sansões de nossa época nunca são derrotados, mas é comum serem esvaziados. São os homens que ousam construir do nada um império! Precisamos desesperadamente de homens assim, mas eles estão quase extintos. São uma raça em extinção, em parte porque tendem à autodestruição, e em parte porque não conseguem fazer que seus dons preciosos sejam transmitidos à geração seguinte. Ou a gentileza desses homens foi destruída por seus impulsos cancerígenos, ou eles estão tão ocupados em obter sucesso que não percebem que "sucesso sem sucessor não é sucesso"!

PASSE ADIANTE!

> "Caíram os guerreiros!
> As armas de guerra foram destruídas!"
> (2Samuel 1.27)

Como se pode morrer sem filhos? A força masculina está em crise! A história dos Estados Unidos é um relato recorrente de pessoas abusadas, e de pessoas causadoras de danos, que subiram ao poder só para criar filhos que perpetuaram as aflições que seus pais provocaram em outras pessoas!

Em nosso trauma, tentamos construir um país com Deus no leme, mas nos esquecemos de dizer isso a nossos filhos. Arraigamos nosso sonho na liberdade religiosa, no exercício livre de nossa fé em Deus, um Deus que hoje é ridicularizado pelos filhos dos antepassados que morreram para conseguir essa liberdade!

A nação gerada pelas famílias de pioneiros, que se sentaram à mesa para a ceia a fim de agradecer na primeira refeição do Dia de Ação de Graças, agora vê famílias desintegrando-se no divórcio, no assassinato e nas clínicas de aborto. Precisamos voltar para Deus, mas será necessário o ressurgimento de pais combatentes cuja coragem "à Sansão" não foi destruída pela exaustão e pelo fracasso moral!

PRESO NA ARMADILHA DE DALILA!

Dalila, a sedutora, está reservada para os homens poderosos: ela é a assassina dos bem-sucedidos. Suas ferramentas não são os quadris, nem os lábios, nem a ponta dos dedos. Suas ferramentas são a fadiga, o entorpecimento e o vazio interior. Ela não precisa fazer muita coisa, pois sabe que, tendo Sansão acomodado a cabeça em seus joelhos, ele começará a compartilhar o que passa em seu coração.

Se ele não for cauteloso, a prostituta se torna a esposa do homem de negócios. A mulher com quem mora se torna sua colega de quarto. Mas ele se aproxima dela menos para cativar e acariciar e mais para encontrar um lugar de descanso e renovação! Na casa da prostituta, o homem poderoso se torna o homem desamparado.

A descrição que a Bíblia faz de Sansão e Dalila no capítulo 16 de Juízes quase não menciona lençóis retorcidos e respirações entrecortadas. Vemos um homem solitário e vazio tão vulnerável ao afeto que um governo hostil contrata uma prostituta para seduzi-lo! Sobrecarregado de exaustão e solidão, Sansão não quis ficar pulando por entre as videiras e brincando de Tarzan. Quis o afago acolhedor do abraço feminino que o lembrava dos braços de sua mãe. Sansão *buscou descanso* na cama de Dalila. Então o homem poderoso caiu no sono enquanto a prostituta lhe fazia cafuné e suavemente murmurava coisas em seu ouvido.

> Quando Dalila viu que Sansão lhe tinha contado todo o segredo, enviou esta mensagem aos líderes dos filisteus: "Subam mais esta vez, pois ele me contou todo o segredo". Os líderes dos filisteus voltaram a ela levando a prata. Fazendo-o dormir no seu colo, ela chamou um homem para cortar as sete tranças do cabelo dele,

e assim começou a subjugá-lo. E a sua força o deixou.
(Juízes 16.18,19)

Como isso é estranho! Sansão *sabia* que Dalila estava tentando matá-lo, mas comprometeu sua segurança por causa do "descanso" que ela lhe dava!

Dalila tinha criado um porto seguro para Sansão. Esse homem possuía uma carreira bem-sucedida, mas um casamento fracassado. Ele tinha muito que compartilhar e ninguém com quem compartilhar. Ele havia seguido seus impulsos e, repentinamente, no meio de sua vida, o homem poderoso percebeu que estava cansado! O homem queria férias. Estava procurando descanso. Estava procurando um lugar onde repousar a cabeça.

> Jesus respondeu: "As raposas têm suas tocas e as aves do céu têm seus ninhos, mas o Filho do homem não tem onde repousar a cabeça". (Lucas 9.58)

CORRA DAS CHAMAS DA PROSTITUTA

Um homem cansado é um homem vulnerável. Quando está cansado, você "dá uma de Sansão". Você fica tempo demais deitado e fala mais do que deve. Sansão sabia que Dalila estava trabalhando para seus inimigos. Ela tentou matá-lo diversas vezes! Como um tolo, Sansão pensava: *Posso lidar com isso!* Acho que Dalila foi o adversário mais terrível que Sansão enfrentou em toda a sua vida porque *ela usou a sede dele contra ele mesmo!* Ele estava tão desesperado por solitude e aconchego que, como uma mariposa atraída pela chama, voou na direção daquilo que deveria evitar!

Irmão, você está esgotado? Você está sentindo-se vazio e solitário neste exato momento? Não corra na direção de algo que deveria evitar! Muitos homens poderosos caíram como presas por causa de algo que sabiam ter sido enviado pelo inimigo porque eram orgulhosos demais para reconhecer o perigo que isso representava. Nunca se exponha ao assassino do inimigo!

Sua "Dalila" pode ser *qualquer coisa que entre em sua vida para sugar sua força*! Pode ser uma carreira, um relacionamento ou um hábito. Os braços de Dalila podem ser o lugar proibido que você frequenta quando já está aborrecido. "Ela" providenciará um porto seguro, um escape ou as férias de seus sonhos, mas não se deixe enganar! Levante-se enquanto pode! Às vezes correr bem é melhor do que uma estada ruim.

> *Pai, oro a favor de cada Sansão, de cada homem poderoso, cujas forças e lutas os deixaram esgotados e vulneráveis. Querido Deus, oro para que as forças desse homem sejam renovadas em sua presença. Oro para que o plano de Dalila seja abortado, e que ele não corra na direção do calor escaldante da ilustre beleza! Em nome de Jesus, amém!*

O CÂNCER SILENCIOSO

Os homens não "agendam" um horário para ficarem exaustos, mas é algo que acontece sorrateiramente quando menos se espera. O esgotamento é o câncer silencioso de nosso julgamento e de nossas emoções. Rouba-nos a criatividade e secretamente nos tira o vigor e o discernimento. Quando estamos cansados, ficamos mais vulneráveis e menos cuidadosos. Estamos à beira de um ataque de nervos, e mesmo os problemas mais simples parecem insuperáveis.

Muitos homens tomam decisões permanentes com base no estresse de circunstâncias temporárias, quando a fadiga lhes rouba a capacidade de discernir as coisas. Homens criativos sentem-se culpados por estarem cansados e temem que um dia seus dons secarão e eles não terão mais a capacidade de *realizar*.

Normalmente é difícil trabalhar com homens extremamente bem-sucedidos e é difícil amar homens assim. Eles não são levados, são impelidos... até ficarem totalmente exauridos!

Uma noite normal de sono não pode curar a exaustão de um Sansão, do mesmo modo que um simples curativo não pode curar um câncer! Os Sansões modernos são zumbis que se alimentam de seu sofrimento como um drogado se alimenta de drogas. O sucesso é o vício e a aflição deles, mas, debaixo de tudo isso, eles precisam desesperadamente de descanso. Até mesmo as coisas boas são perigosas quando perdem o equilíbrio. E o mais importante: de que adianta a bênção sem a Fonte de toda bênção? De que adianta a provisão sem o Provedor? De que adianta a mulher quando se perde a esposa? São perguntas válidas que merecem uma resposta honesta!

Há um tempo e uma ocasião para tudo (v. Eclesiastes 3.1). Até mesmo o solo se esgota se ficar ano após ano sem descanso. O frio do inverno dificulta o crescimento, mas também permite a reciclagem. Precisamos de um tempo para renovar e reavaliar: precisamos de equilíbrio. A maioria dos que se esforçam de mais e se divertem de menos é formada de *homens que viram o lobo* do fracasso, dos tempos difíceis e da pobreza. Alguns fogem do terror ao fracasso, esquecendo que o medo é o oposto da fé! Pode parecer que o medo é o combustível da fé, mas seu conteúdo ácido só gera úlceras no corpo e raiva no coração!

Eu e você talvez entremos vorazmente na batalha por causa de alguma necessidade interna de definir nosso valor. A tragédia de nossa compulsão é que nossos críticos raramente mudam.

Nunca corra para conseguir o favor dos críticos, nem para silenciar a crítica infindável que eles fazem. Os falsos padrões dos zombadores são impulsionados pelo cinismo fácil e ilimitado. Não é preciso esforço, preparação, inteligência nem habilidade para criticar. Por isso, esse é o passatempo favorito das crianças sem instrução e dos adultos sem cultura.

A pior parte de ser "impulsionado" é que a doença é contagiosa: nosso desespero inconfesso ameaça deixar para trás qualquer um que não mantenha o ritmo. Parece que estamos determinados a fugir das pessoas que amamos e também de nós mesmos. Será que nunca perceberemos que Deus põe tipos diferentes de pessoas em nossa vida para nos *dar equilíbrio*?

DESCANSANDO NOS BRAÇOS DE DEUS

> Ainda resta um descanso sabático para o povo de Deus. (Hebreus 4.9)

Quero que você entenda que *o descanso existe de fato*. É mais do que sono — é paz e calmaria. É a calma que exala de um bebê a salvo, seguro nos braços da mãe que o trouxe à luz. Em seu nascimento natural, você nasceu de sua mãe. Em seu nascimento espiritual, você nasceu do Espírito. Você precisa subir novamente nos braços do Espírito que o trouxe à luz, a fim de encontrar descanso em sua presença e paz em seus braços!

O rio divino do refrigério foi planejado para os que tropeçam, não para os engomadinhos. O estável é sustentado durante um tempo por sua própria agilidade, mas o homem que tropeça está desesperado pelo refrigério.

> Ele fortalece o cansado
>   e dá grande vigor ao que está sem forças.
> Até os jovens se cansam
>   e ficam exaustos,
>   e os moços tropeçam e caem;
> mas aqueles que esperam no Senhor
>   renovam suas forças.
> Voam alto como águias;

correm e não ficam exaustos,
andam e não se cansam. (Isaías 40.29-31)

Sempre erraremos se não nos voltarmos para Deus e somente nele buscarmos apoio! Nas palavras do hino: "Em nada ponho a minha fé, senão na graça de Jesus"!

Todo homem precisa de descanso. Se você negar essa necessidade, em algum momento acabará nos braços da Dalila! Você precisa de descanso, e o único lugar em que sua cabeça pode descansar seguramente é *na vontade de Deus*. Não importa se sua vontade pareça muito rude; existe um consolo que vem da compreensão e do cumprimento de seu propósito!

Todos ficamos trêmulos ante a fria realidade do colo de Dalila, que parece tão convidativo quando estamos cansados. Os braços dela parecem estar convenientemente abertos enquanto ela nos chama provocativamente: "Venha até aqui". A boa notícia é que nossa vulnerabilidade pode despertar muita oração e dar os primeiros passos frágeis e hesitantes de um coração honesto buscando descanso no lugar certo, não no lugar errado. Nem o álcool, nem a cobiça; nem a luxúria, nem alguma outra coisa; nada pode apaziguar a besta-fera dentro de nossa alma como um bom momento na presença de Deus!

Ó Deus, não permita que nos tornemos tão religiosos a ponto de não levarmos os homens à sua presença curadora!

Precisamos do tipo de unção em nossa adoração e nossos cultos na igreja que leva os homens mortais (e os Sansões exaustos) à presença do próprio Deus. Nada menos do que isso serve. Admitamos ou não para nossa esposa, nossos amigos ou qualquer outra pessoa, sabemos que, sem a contínua orientação de Deus, qualquer um pode acabar descansando no lugar errado, independentemente do tamanho de nossa unção.

Sansão era ungido, mas não conseguiu levar suas dificuldades ao Senhor. *Reserve tempo para buscar e encontrar refrigério na presença do Senhor!* Suas feridas, só ele pode curar! Qualquer outro tipo de descanso apenas servirá de camuflagem para outro ataque. Somente Deus pode dar a você um lugar onde repousar sua cabeça. Faça isso; nós precisamos de você. Sua esposa precisa de você. Seus filhos e suas filhas precisam de você! Precisamos ter outra geração de homens poderosos. E então, no silêncio da noite, envolva-se no calor acolhedor da presença de Deus. Quando você fizer isso, Deus proverá um santuário de consolo e paz e dirá: "Descanse em paz".

> E a paz de Deus, que excede todo o entendimento, guardará o coração e a mente de vocês em Cristo Jesus.
> (Filipenses 4.7)

REVISÃO

1. A exaustão e a fadiga do homem moderno o estão levando para um lugar de _____.
2. Estamos exaustos demais para lutar contra a _____ e desgastados demais para vencer a fadiga.
3. Precisamos de férias do _____ e da coerção das atitudes diárias.
4. A contínua _____ de nossa necessidade de descanso nos está deixando à beira do precipício, como se exemplifica nos ataques raivosos e na violência doméstica selvagem.
5. Para onde Davi se voltou quando seu coração ficou esmagado? _____ _____.
6. Todo garoto que está à altura do teste, e tenta ser um homem, rapidamente percebe que a _____ é maior que a _____.
7. Verdadeiro ou falso: Um homem de verdade pode enfrentar qualquer coisa que lhe vier pela frente e nunca se desgastar. _____.
8. Todo cristão precisa permitir que seja _____ para que saiba onde descansar em _____.
9. Sansão caiu em pecado porque foi buscar descanso no _____.
10. Dê dois motivos pelos quais os Sansões de nossa época estão quase extintos:
    a. _____
    b. _____
11. O sucesso não é sucesso sem um _____.
12. Para que nosso país se volte para Deus, precisamos ter um ressurgimento de _____ cuja coragem "à Sansão" não tenha sido destruída pela _____ e pelo _____.
13. Dalila, a sedutora, assassina os bem-sucedidos usando a própria fadiga, o entorpecimento e o _____.
14. Um homem cansado é um homem _____, que fala demais.
15. Muitos homens poderosos caíram como presas do inimigo porque pensaram: "_____" e eram _____ demais para reconhecer o perigo.
16. Sua "Dalila" pode ser qualquer coisa que entre em sua vida para sugar sua _____. Pode ser uma carreira, um _____ ou um _____.

17. Sua "Dalila" promete um escape, um porto seguro, um deleite duradouro, mas ela só quer _____ você.
18. Que efeito a fadiga exerce em seu discernimento, suas emoções e sua criatividade? _____
_____.
19. Até mesmo as coisas boas, como trabalho árduo e sucesso, são perigosas quando perdem o _____.
20. Alguns fogem do terror ao fracasso, esquecendo-se que o _____ é o oposto da fé.
21. Muitos daqueles que se esforçam muito e se divertem pouco agem assim por causa de alguma necessidade interna de estabelecer seu valor aos olhos dos críticos. Diga por que este é um esforço infrutífero:
_____
_____
_____.
22. Deus envia tipos diferentes de pessoas em nossa vida para nos _____.
23. Verdadeiro ou falso: Existe um lugar de descanso para o homem de Deus hoje. _____
24. Como encontramos esse descanso? _____
_____
25. Não importa se sua vontade pareça muito rude; existe um consolo que vem da _____ e do _____ de seu propósito.

MAIS UM DESAFIO: O lugar onde buscamos alívio identifica e define quem realmente somos. O que você faz quando está excessivamente estressado? Você automaticamente se volta para comida, bebida, drogas ou sexo para sentir-se melhor? O que você pode fazer para romper esse padrão e treinar-se para buscar em Deus seu alívio?
_____
_____
_____
_____
_____

Você ainda é meu filho!

Capítulo 9

> "E irá [...] para fazer voltar o coração dos pais a seus filhos e aos desobedientes à sabedoria dos justos."
> (Lucas 1.17)

CORRE DENTRO DELE MEU SANGUE, e ele se firma em meus ossos. Seus olhos se umedecem com meu orvalho, e ele se parece comigo. Ele é minha passagem para a geração seguinte, minha espaçonave para a terra dos jovens. É minha chance de dar apoio, força e solidariedade para uma porção de meu destino. Oferece-me a única oportunidade que tenho de ser para ele tudo o que eu queria que alguém fosse para mim.

Curá-lo é o mesmo que curar a mim mesmo. Amá-lo é o mesmo que amar a mim mesmo. O processo de impedi-lo de cometer meus erros de algum modo dá propósito a minha dor mais profunda. Suportarei tudo o que for necessário para ajudá-lo a alcançar uma estrela. Ele é como argila quente, esperando para ser moldado num homem. Ele sou eu, meu amigo, meu camarada. Ele é meu filho!

Escolhido por meu coração ou gerado em minhas entranhas, é tudo aquilo que invisto nele hoje para os desafios do amanhã. Que Deus me conceda a graça da paternidade e a sabedoria para ser pai. Sem Deus orientando, ajudando e treinando, não consigo ser o pai que deveria ser.

QUERIDO PAPAI

A paternidade foi exemplificada na voz trovejante de Deus, quando ele irrompeu nas nuvens e falou no rio Jordão. O Senhor endossou publicamente o Filho que muitos consideravam controverso. Ele disse o que todo filho anseia ouvir seu pai dizer: "Este é o meu Filho amado, em quem me agrado!".

É a aprovação paterna que faz o menor da turma correr mais do que o restante. É ela que faz que os garotinhos enfrentem os estranhos barulhos noturnos, e os insetos que picam, no acampamento de escoteiros, só para ouvir o pai dizer "Muito bem, filho". O sorriso de um pai satisfeito é mais doce que os caramelos e mais valioso do que diamantes para seu filho!

O que aconteceu? Nossos heróis mudaram: de nossos pais passaram a atores enlouquecidos, a atletas cansados e ingratos. Quando eu era criança, acreditava que meu pai era o homem mais forte do mundo! Mas essa qualidade de homem saudável sumiu. Os tempos mudaram, e os filmes mudaram. A paternidade foi empurrada para o fundo da prateleira, junto com as reprises de Brady Bunch.[1] Alguém percebeu? As necessidades de nossos filhos *não* mudaram!

---

[1] Série cômica sobre uma família formada pela união de um pai com três filhos e uma mulher com três filhas de outro casamento; foi ao ar na TV americana nas décadas de 1970 e 1980 e deu origem a um filme em 1995. [N. do T.]

EM LUTO PELA PATERNIDADE

Uma das grandes decepções em nossa sociedade é a noção de que os homens, não as mulheres, são frágeis. Existem exceções, mas você verá que não sofremos por causa de nossa mãe ou esposa. Não, nós sentimos falta dos pais. É deles que frequentemente tiramos nossa força, fraqueza, prazer ou dor insuportável. Alguém roubou nossos heróis.

Pais ausentes, junto com os pais irresponsáveis e sem noção, empestearam o país com filhos confusos e maridos irritados. Milhões de jovens amargos e abandonados estão se tornando homens sem terem tido mentores. Como se pode esperar que eles toquem feridas e necessidades em outros como homens de verdade quando suas próprias feridas profundas não foram curadas? Esse vazio de anseio e quebrantamento nos homens desta geração gerou uma enxurrada de conflito, promiscuidade, perversão e violência doméstica. Filhos dilacerados e feridos estão pedindo um investimento de verdadeira masculinidade, mas seus pais estão falidos: ninguém investiu um dólar sequer neles!

É doloroso admirar alguém que não está por perto. Um caso de amor unilateral nunca traz plenitude. Braços vazios não oferecem um abraço acolhedor, afetivo e tranquilizador. Braços vazios só refletem a carência de um filho que assumiu o risco de abrir-se, só para ser rejeitado e descartado na varanda abandonada de um lar desfeito.

Nossos jovens se cansaram de praticar esportes com frascos vazios de alvejantes. Quando eram criancinhas, pintavam figuras coloridas e as levavam para casa cheios de orgulho, mas o papai não estava em casa para admirar a obra e recompensá--los com um inestimável elogio paternal. Agora, no fim de sua esperança e infância, jogam fora seus livros de colorir. Com raiva furam as bolas de futebol e compram armas de morte.

Cansaram de dançar sozinhos ao som da horripilante melodia da masculinidade.

PREENCHA OS ESPAÇOS EM BRANCO

Nossos jovens estão morrendo em raiva e sofrimento, perguntando a si mesmos: "O que eu fiz para meu pai sair de casa?". O pai é a imagem do destino do jovem, um testemunho vivo daquilo que o tempo pode fazer acontecer. O pai é a primeira definição da masculinidade. Sua ausência nos faz buscar desesperadamente alguém que "preencha os espaços em branco". Se a igreja não fizer isso, a comunidade *gay* fará. Se a igreja não fizer isso, as gangues e os traficantes de drogas farão. Se a igreja não fizer isso, a indústria pornográfica fará. Filhos vazios sempre procurarão alguém que preencha os espaços em branco, espaços deixados pelo pai ausente.

Ternos escuros bem cortados e vibrantes gravatas de seda não conseguem cobrir o vazio de um coração masculino despedaçado. Nem mesmo a mais voluptuosa das mulheres coberta de adereços consegue amenizar a angústia das lágrimas bloqueadas e os clamores abafados de um homem. Homens despedaçados tentam mascarar suas mágoas atrás de símbolos vãos de sucesso, mas escondidos atrás de suas débeis fachadas encontram-se corações cheios de gritos e que foram forçados ao silêncio. Todos compartilham um traço comum de necessidade desesperada, um vácuo familiar que remonta a lares destruídos e personagens construídas prestes a serem emasculadas!

Um rio carmesim goteja incontrolável do coração ferido e dos recônditos mais secretos dos homens modernos. Nós nos escondemos atrás de disfarces, tentamos agir como cavalheiros e depois, como garotinhos, continuamos a gabar-nos do sexo que fazemos, embora nunca tenhamos conhecido o amor verdadeiro. Ansiamos pelo toque de ternura, mas temos medo do afeto. Queremos ser fortes o suficiente para nos apoiar, mas inspiramos compaixão demais para conseguirmos sentir a dor dos outros. Pode um ferido curar outro?

CHORANDO E RESSUSCITANDO

> Jesus chorou.
> Então os judeus disseram: "Vejam como ele o amava!" [...]
> Então tiraram a pedra. Jesus olhou para cima e disse: "Pai, eu te agradeço porque me ouviste. [...]
> Depois de dizer isso, Jesus bradou em alta voz: "Lázaro, venha para fora!" (João 11.36-36,41,43)

A ideia que faço de um herói é de um homem sensível o bastante para chorar no sepultamento de um amigo, mas forte o suficiente para chamá-lo para fora da sepultura! Jesus foi terno o suficiente para respeitar as vulnerabilidades das mulheres que ele amava, mas depois enxugou-lhes as lágrimas e assumiu a responsabilidade de mudar as circunstâncias que haviam gerado o sofrimento!

Espero que você não tenha enterrado seus traumas, achando que seria incapaz de curá-los. Lembre-se: Deus ressuscita os mortos! Se você realmente quer ressuscitar uma situação morta, então pare de chorar. Levante-se e ordene que ela ressuscite! Vá encontrar seu filho num túmulo de drogas! Ressuscite seu pai bêbado da sarjeta das ruas da cidade! Talvez você tenha de abordar de maneira totalmente nova a dor fria e impessoal do olhar indiferente de seu pai. Não importa o que os tenha destruído ou separado, se você quiser seu pai ou seu filho de volta, precisa ressuscitá-lo!

Jesus chorou! No entanto, quando acabou de chorar, ele começou a ressuscitar. O trágico em relação a Maria é que ela pensou que era tarde demais. Não cometa o erro de Maria. As evidências indicam coisas ruins, e as coisas já podem estar cheirando mal. Contudo, se você quiser algo, ressuscite-o assim mesmo, a despeito de sua decepção. Ultrapasse a brecha e escolha o amor. Se você quiser ver curado o relacionamento com seu filho, sua esposa, sua filha ou seu pai, então mande tirar a pedra do túmulo e comprometa-se! (Mesmo que cheire mal, valerá a pena ver uma ressurreição!)

O pai correu para saudar o filho pródigo. Se ainda estamos vivos, se ainda estamos respirando, vamos decepcionar uns aos outros. Faz parte da natureza humana. Se nosso amor não consegue superar a decepção, então morreremos solitários, amargos e intratáveis.

Os pais que estão zangados e decepcionados com os resultados obtidos pelos filhos com frequência tentam educar filhos crescidos como se fossem crianças. Isso não deve ser mais assim. Seu filho nunca mais será uma criancinha, por isso tire as rodinhas de apoio e guarde os longos sermões numa gaveta. Essas coisas só servem para afastá-los. Para ser Lázaro ressuscitado, você precisa chamá-lo para que ele caminhe em sua direção, não o contrário. Jesus disse: "Lázaro, venha".

DESAPARECIDO EM COMBATE

Filho enraivecido, *cuidado com sua atitude crítica!*
Aos 16 anos de idade, ouvi os rangidos vagarosos das polias que acomodavam o corpo gelado de meu pai na lama vermelha do Mississippi e aprendi que homens mortos não falam nem ouvem. Fiquei parado ali, com mil assuntos não resolvidos em meu coração. Lágrimas ardentes escorriam por meu rosto enquanto eu chorava por meu pai. Chorei pelas perguntas que não pude fazer a ele. Chorei pelos netos que ele nunca veria. Chorei pelo

faiscar que nunca veria em seus olhos idosos. Chorei por minha mãe, que nunca se casou de novo.

A despeito das falhas de meu pai, chorei por causa de suas tentativas de nos sustentar, amar e proteger e por causa dos fatos trágicos que aconteceram com ele. Contudo, chorei principalmente por mim mesmo. Meu pai se foi como uma rajada de vento. Escorreu por entre meus dedos como areia. Eu os fechei com toda a força, mas, quando abri a mão, ela estava vazia. Ele havia escorregado pelas frestas, e fiquei perguntando a mim mesmo: "Como ele pôde ir sem se despedir?".

Acho que sinto um pouco de inveja dos homens com minha idade que têm pais vivos e conseguem ficar ao lado deles. Sempre sou atraído por equipes formadas por pai e filho. Adoro aqueles homens grisalhos com costas encurvadas e vestindo blusas grandes. Você sabe de quem estou falando: homens mais velhos com dentes proeminentes, cheios de histórias que você já ouviu antes. Quando os vejo repuxando a mandíbula endurecida até que o olhar para seus filhos lampeje, sempre tento dizer a esses filhos: "Você é abençoado". Não importa quanto seu pai tenha feito ou deixado de fazer, se as orelhas enrugadas podem ouvi-lo e os olhos vitrificados o podem ver, então é possível encontrar uma solução!

O exemplo definitivo de um pai ausente é o pai morto. Não existem discussões nem questões a serem resolvidas. Ele se foi como uma brisa que passa por seu rosto. Você podia senti-lo, tocá-lo, e de repente ele desaparece. Não importa quão deteriorado esteja o relacionamento entre você e seu pai, se ele está vivo, descubra uma maneira de reconciliar-se! Já se passaram vinte e dois anos desde que meu pai morreu, e, durante todos estes anos vivendo, amando e educando meus próprios filhos, nunca mais pude estar com ele. No entanto, ainda anseio ver aquele sorriso familiar em seu rosto e ouvir sua voz tranquilizadora.

Sou grato pelas memórias da mão de meu pai: a mão carinhosa que mexia em minha testa e a mão brincalhona que mexia em minha barriga quando era pequeno. Sou grato pelos barulhos que ele fazia enquanto assoprava minha barriga até eu cair na gargalhada. Pelo menos tenho uma memória e um momento com meu pai. Sei que muitos nunca sentiram o toque do pai, nem brincaram de luta no chão, nem foram empurrados no balanço. Ainda me pergunto como seria se eu pudesse sentar na varanda hoje e ouvir meu pai contar histórias ridículas sobre pessoas que nem consigo lembrar. Só posso imaginar o sorriso radiante que iluminaria seu rosto se ele hoje pudesse segurar um dos netinhos nos braços.

Senti a dor da ausência de meu pai principalmente quando eu jogava nos campos de futebol da vida. Eu marcava um gol depois do outro e ouvia o estrépito de grandes plateias, mas faltava um rosto nas arquibancadas. Eu ansiava ouvir uma voz especial acima do barulho da multidão..., mas ele desparecera em combate!

PREENCHA O VAZIO

> Então Jônatas disse a Davi: "Amanhã é a festa da lua nova. Vão sentir sua falta, pois sua cadeira estará vazia". (1Samuel 20.18)

Se você puder preencher o assento vazio de sua vida com um corpo físico, então preencha. Se tiver de esperar seu pai ficar sóbrio só para falar com ele, então encontre-o e toque-o. Em um instante, ele desaparecerá. Num momento, não estará mais ali. Sua sabedoria pode parecer antiquada, e talvez você não tenha pedido seus conselhos, mas simplesmente ouça a voz dele antes que ela suma.

Se seu pai está vivo, encontre-o. Caso seu pai tenha falecido, aproxime-se de seus filhos e seja pai para eles. Se você não pode ter um pai, seja um. Supere sua perda ou falta transformando-se naquilo que você gostaria de ter. Dê a seus filhos aquilo que você perdeu! Supere todos os obstáculos para amar e restaurar o que está faltando. Entregue ao Senhor a dor de seu divórcio, abuso e medo e abra os braços para seu filho. Seja ele o presidente de um banco, seja alguém morrendo de aids, ainda é seu filho!

Quando o filho pródigo se afastou dos cochos dos porcos no chiqueiro e tomou o caminho de casa, não foi recebido com desprezo, nem com um "Eu te disse..."; não recebeu nem mesmo uma advertência. Seu velho pai artrítico forçou a vista para observar a estrada como fazia todas as manhãs desde que o filho mais novo havia partido. Quando viu o filho todo empoeirado vindo pela estrada, não precisou de bengala nem de andador! Aquele homem idoso saltou pela varanda e correu pela estrada poeirenta para encontrar o filho perdido fazia tanto tempo. O pródigo havia perdido tudo o que tinha. Era um fracassado miserável, uma desgraça para todo mundo, *menos para seu pai!* O pai abriu os braços bem abertos em amor e aceitação incondicionais.

Está na hora de abrir seus braços, homem de Deus. Abra seus braços fatigados para sua esposa. Dê boas-vindas a seus filhos e filhas, a despeito das falhas deles e das suas! Para viver em família, precisamos permitir que o amor nos leve além das feridas que nos separam. É hora de perdoar e receber perdão.

BEM-VINDO DE VOLTA AO LAR!

> " 'Eu me porei a caminho e voltarei para o meu pai, e lhe direi: Pai, pequei contra o céu e contra ti. [...] A seguir, levantou-se e foi para seu pai.
>
> "Estando ainda longe, seu pai o viu e, cheio de compaixão, correu para seu filho, e o abraçou e o beijou.

"Mas o pai disse aos seus servos: 'Depressa! Tragam a melhor roupa e vistam nele. Coloquem um anel em seu dedo e calçados em seus pés. Tragam o novilho gordo e matem-no. Vamos fazer uma festa e alegrar-nos. Pois este meu filho estava morto e voltou à vida; estava perdido e foi achado'." (Lucas 15.18,20,22-24)

O desertor cujo coração está cheio de medo não tem troféus para perfilar em seu manto. Ele volta sem méritos e sem tratamento de honra. Carrega apenas cicatrizes, feridas e cortes que marcam sua jornada da insensatez ao fracasso. Realmente importa se você é o pai ou o filho? Criamos uma geração que se perdeu no caminho. Os pais estão perdidos, e os jovens se perguntam: "Posso voltar para casa?".

O que o pai do filho pródigo sabia e que o impediu de usar o discurso "Eu te disse..."? Eu sei o quê. A despeito dos cabelos sujos e do cheiro pútrido, e a despeito da bancarrota moral e dos erros rebeldes do passado, o pai agradecido lançou-se ao pescoço do filho e o beijou porque sabia que, *quando tocasse seu filho, estaria tocando a si mesmo!*

Talvez seu filho esteja praticando atos imorais ou condenáveis. Talvez seja irresponsável e instável e talvez precise de horas de amor e tranquilidade antes de aceitar o Deus de seu pai. O único vislumbre do Deus a quem você serve pode surgir no momento em que seu filho sentir o calor do abraço paternal. Não importa quão escura seja a noite, ou quão ardentes sejam as lágrimas, abrace seu filho pródigo e declare: "*Você ainda é meu filho!*".

Se você é um filho perdido e não tem nenhum pai terreno, nem para onde ir em busca de lar, eu declaro neste momento: "*Você é um filho escolhido e precioso. Apesar de perdido, hoje você foi achado! Bem-vindo, meu filho, em quem me agrado!*".

REVISÃO

1. Deus me deu uma oportunidade de ser tudo o que eu queria que outras pessoas fossem para mim. Qual oportunidade é essa? _____
   _____
   _____.
2. Sem Deus orientando, ajudando e treinando, não consigo _____ que deveria ser.
3. O que todo filho anseia ouvir de seu pai? _____
   _____
   _____.
4. Verdadeiro ou falso: Mais homens em nossa sociedade estão sofrendo por causa de sua mãe ou esposa do que sentindo pesar ou ausência de seu pai. _____
5. O pai é a _____ do _____ do jovem, um testemunho vivo daquilo que o tempo pode fazer acontecer.
6. Quais forças em nossa sociedade estão de prontidão para "preencher os espaços em branco" deixado por pais ausentes? _____
   _____
   _____.
7. Jesus é um exemplo de herói: sensível o bastante para _____ no sepultamento do amigo, mas _____ o suficiente para chamá-lo para fora da sepultura!
8. Jesus sentiu compaixão pelas mulheres que amou, mas depois enxugou-lhes as lágrimas e _____ a _____ de mudar as circunstâncias que haviam gerado o sofrimento!
9. Se ainda estamos vivos, vamos _____ uns aos outros. Faz parte da natureza humana.
10. Se nosso amor não consegue superar a decepção, então morreremos _____, _____ e _____.
11. Verdadeiro ou falso: Se a pessoa amada não morreu, não é tarde demais para restaurar o relacionamento. _____
12. Para restaurar o relacionamento com seu filho adulto, você precisa deixar de lado os _____. Chame-o em sua direção em vez de afastá-lo de você.

13. Se pretendemos viver em família, precisamos permitir que o _____ nos leve além das _____ que nos separam.
14. O que o pai do filho pródigo sabia que o fez evitar um discurso do tipo "Eu te disse..."? _____
_____
_____
_____

15. Verdadeiro ou falso: O único vislumbre que seu filho pródigo pode ter de Deus pode surgir no momento em que ele sentir o calor do abraço paternal. _____

    MAIS UM DESAFIO: O relacionamento que você tem com seu pai ou filho está gerando pesar? Se ele ainda está vivo, que passos você pode dar para iniciar a restauração? _____
    _____
    _____
    _____
    _____.

    Caso tenha falecido, que passos você pode dar para superar sua perda e restaurar o que está faltando?
    _____
    _____
    _____
    _____
    _____
    _____
    _____

Pais substitutos

Capítulo 10

Como podemos restaurar aquilo que nunca existiu? Que número discaremos se não existe ninguém a quem telefonar? Para onde iremos se não existem endereços a serem localizados? Para milhões de homens e mulheres, a oportunidade de um relacionamento pai-filho genuíno foi roubada na concepção por casos secretos e pelo sexo casual praticado por crianças brincando com adultos. O resultado foram bebês condenados a um futuro repleto de rejeição e amaldiçoado com confusão!

Homens sem pai perambulam pelas ruas num sofrimento interminável, buscando as sepulturas de sua herança perdida e gritando: "Quem é meu pai?". Alguns descobrem a verdade só para acabar desejando nunca terem feito a pergunta. Isso só aumenta a dor de sua solidão. Outros, como eu, foram cruelmente arrancados dos braços acolhedores do pai pelos dedos gélidos da doença e da morte.

O que se deve fazer com aqueles que foram deixados para trás na solidão? Como um quebra-cabeça cujas peças se perderam, jamais conseguimos criar um quadro completo de nossa identidade. Parece sempre faltar uma parte de nós. Não há nenhuma maneira de recapturar as peças faltantes?

MEMÓRIAS QUE NÃO PODEM SER MENCIONADAS

Alguns de nós foram abusados, surrados e espancados. Alguns foram até mesmo brutalmente estuprados e molestados, embora o silêncio sobre o molestamento masculino seja absurdamente assustador. (Que homem corre para a frente da sala e admite para seus amigos que foi molestado?) Quantos de nós desenvolvemos uma masculinidade descompensada por causa das memórias como um garoto tremendo num canto, tentando proteger a mãe de um homem que costumávamos chamar de pai? Que confusão emerge quando o protetor e provedor encharcado de álcool cambaleia até sua casa e dá uma surra na família?

Como um mero garoto pode defender-se ou lutar contra o pai cujas mãos estapearam sua mãe seguidas vezes naquela noite? Incontáveis olhos roxos, membros quebrados, costas surradas e pernas sangrando deixaram cicatrizes profundas no corpo e na mente dos garotos-homens, que lembram muito mais do que suas mães jamais permitiriam ser discutido.

"Shh, ouvi o barulho da porta do carro. Ai, meu Deus, será que é ele?! Por favor, não permita que ele esteja bêbado, tenho de ir para a escola. Por que ele sempre age dessa maneira? Ele não ama a gente? O que há de errado em nós? Não, o que há de errado comigo? O que faz meu pai me odiar tanto? Por que outro motivo ele arruinaria minha vida, bateria em minha mãe e me atacaria? Às vezes ele é maravilhoso, e então acho que o amo, mas não quando ele

chega em casa assim..." Uma vez mais, a porta se bate, e começa o xingamento.

Essas memórias atormentam legiões de homens. Não, não são seriados de TV água com açúcar. Esses dramas sinistros estão repletos de ambulâncias cortando o trânsito, pisos de cozinha ensanguentados e mentiras de arrepiar — os acessórios padrão para um ciclo infindável de miséria em muitos lares descompensados.

A tragédia acontece quando alguém que você admira faz algo que você odeia. Como você se sente em relação a um homem que, num momento, ama sua mãe e, no momento seguinte, a espanca até que ela perca os sentidos? Num momento você está no parque, no momento seguinte está no pronto-socorro. Quantas vezes um garoto pode mentir e dizer "Caí na escada" quando a casa da família não tem escada? Tudo o que realmente eles têm é uma casa cheia de sofrimento.

Enquanto a maioria dos homens se lembra de varas de pesca e de brincadeiras de futebol de botão, outros só conseguem recordar uma infância salpicada de sangue, manchada pelo estupro e selada com silêncio. Essas são as aflições secretas por trás de seu sofrimento, as questões que levam o bêbado a beber. São as chamas do tormento que conduzem homens adultos a brincar perversamente com crianças inocentes. Em algum lugar dentro do homem atormentado há um garoto atormentado que se sente condenado a atormentar outras pessoas!

> Pais, não irritem seus filhos; antes criem-nos segundo a instrução e o conselho do Senhor. (Efésios 6.4)

A fúria contaminou nossa masculinidade como uma doença infecciosa. Roubou o que seria nosso desenvolvimento normal porque muito homens não tiveram permissão de vivenciar a inocência e a liberdade da infância! Quem fez nascer tal fúria e os ensinou a extravasá-la de maneira tão violenta? Quem foi o mentor que os levou a essa fúria incontrolável?

SOLTE AS AMARRAS DESTE HOMEM

Sei que você quer respostas, mas as respostas variam de casa para casa e de homem para homem. Por trás de cada perturbação, encontramos desonra, deslealdade ou, no mínimo, um distúrbio. O amor de Cristo ainda hoje resgata homens quebrantados presos à tumba do sofrimento, exatamente como resgatou Lázaro séculos atrás. Eles rapidamente reagem ao chamado da esperança, mas, quando emergem, ainda estão amarrados, presos em armadilhas e envolvidos pelo odor da decomposição.

Ousaremos obedecer à ordem que Jesus deu a seus discípulos em choque diante da sepultura de Lázaro? Arriscaremos ser contaminados para "tirar deles as faixas e deixá-los ir"? (V. João 11.44.). Desatar os problemas complicados dos homens na vida real nos obrigará a um envolvimento pessoal com questões malcheirosas que não gostamos nem mesmo de discutir, muito menos desemaranhar com mãos delicadamente cuidadas pela manicure! O que aconteceu com o singelo cântico de hinos e o inofensivo culto nos bancos da igreja que fomos ensinados a amar? O louvor gerou uma ressurreição, e existem cativos a ser libertados. Os bancos da igreja foram deixados de lado, o Mestre nos convoca para o *front*, a fim de ajudarmos a desatar as amarras do homem!

Quando convocamos esses homens para fora dos calabouços de desespero (e eles estão vindo aos milhares), quem esperará do lado de fora da cripta para desatar-lhes as amarras e deixá-los ir? Para serem recém-ressuscitados, esses homens têm de ser desamarrados, e essa é uma tarefa para os homens maduros! É um processo trabalhoso, mas *precisamos de homens que soltem as amarras de outros homens*. Precisamos de homens altruístas que coloquem as mãos nas faixas apodrecidas de seus irmãos e afirmem: "Faixa por faixa, vamos desvencilhar os pesadelos. Vamos desvencilhar suas atitudes, raiva e temperamento. Nós nos recusamos a deixar você voltar para a sepultura!".

> Depois de dizer isso, Jesus bradou em alta voz: "Lázaro, venha para fora!" O morto saiu, com as mãos e os pés envolvidos em faixas de linho e o rosto envolto num pano.
> Disse-lhes Jesus: "Tirem as faixas dele e deixem-no ir". (João 11.43,44)

Muitos de nós estamos presos e amarrados a questões paralisantes do passado. Nós nos movemos para a luz do Deus que nos chamou, mas não conseguimos ir além: estamos de mãos e pés atados com as roupas fúnebres de nosso sofrimento.

Quando aqueles que são chamados por Deus permanecem amarrados, normalmente se tornam cínicos, enraivecidos e tempestuosos. Você consegue imaginar como seria se acordássemos e descobríssemos que estamos presos a um lençol, sem esperança de escapar? Agora você entende por que somos chamados para roubar as sepulturas da sociedade, para alcançar personalidades que estão decompondo-se como Lázaro, que foram enrodilhadas, envolvidas em faixas e lançadas dentro de um túmulo? Também somos chamados a ajudar homens como o apóstolo Paulo, o qual confessou abertamente que seu sucesso não era completo. Ele ainda estava em busca da perfeição, mas pelo menos se desvencilhara do passado.

> Irmãos, não penso que eu mesmo já o tenha alcançado, mas uma coisa faço: esquecendo-me das coisas que

ficaram para trás e avançando para as que estão adiante, prossigo para o alvo, a fim de ganhar o prêmio do chamado celestial de Deus em Cristo Jesus. (Filipenses 3.13,14)

O medo do fracasso pode paralisar o corredor e impedir sua busca pela plenitude. Alguns homens temem não ser capazes de completar a corrida ou de sobreviver entre os plenos. Eles viveram por tanto tempo confinados em seu calabouço que se sentem absolutamente aterrorizados! Reclamam da igreja, do pastor, disso e daquilo, mas a questão real é que esses Lázaros não acreditam que conseguiram concluir a corrida.

Lázaro está certo! Ele não consegue completar a corrida, a menos que alguém se disponha a aproximar-se o suficiente para suportar o cheiro podre e ainda assim manter-se por perto para soltar as faixas imundas. Se conseguirmos encontrar homens que nos desembaracem, seremos abençoados. Esses homens passam a ser pais para nós. O vínculo com eles não pode ser analisado em testes microscópicos porque eles se tornam nossos pais no espírito, não no sangue. Esses pais substitutos nos devolvem o que a vida tirou de nós.

ENCONTRE UM PAI ESPIRITUAL

Tendo escapado de nossa sepultura, descobrimos que as peças que faltavam foram encontradas e os lugares danificados foram consertados por meio do relacionamento com nosso pai espiritual. Se queremos alcançar os homens, temos de aprender a nos "adotar" mutuamente. Alguns homens precisam desesperadamente ser adotados, pois necessitam passar por um relacionamento que nunca experimentaram durante a infância. Estão em busca de um pai e de um mentor.

Para mim, foi isso que fez Davi ter tanta longanimidade diante de Saul. Quando Davi foi para o palácio de Saul, estava "sem pai nem mãe". Na ocasião em que o profeta Samuel visitou o pai de Davi, ele e os irmãos se "esqueceram" de mencioná-lo como possível candidato ao trono. Obviamente, Davi não era o preferido de seu pai. Se Samuel não tivesse insistido, Davi nunca teria sido chamado pelos irmãos ou pelo pai. Talvez você saiba como é sentir-se excluído dos escolhidos e marcado como um desajustado. Tome coragem, pois Deus ama ungir os que não se encaixam a fim de que cumpram o propósito e o destino divinos!

Davi ficou honrado quando o rei Saul pediu que ele se juntasse à casa real. Parecia uma grande oportunidade, mas Saul era o homem errado. Nunca escolha um pai que sente inveja de seu sucesso, pois ele só irá perturbar você. Falando de modo figurado, ele só alcançará você por prazer ou visando algum ganho pessoal. Muitos de nós, que nunca fomos molestados sexualmente, sabemos como é ser molestado emocionalmente por pessoas que só se importaram conosco visando obter alguma vantagem pessoal. Nos dois casos, o resultado é o mesmo: passamos a desconfiar dos outros. Permanecemos presos e distantes da oportunidade de tratar questões mais profundas.

Não permita que Saul vença em sua vida. Caso você tenha tido uma experiência ruim em sua busca por um mentor piedoso, tente mais uma vez. Deus suprirá um pai substituto que seja confiável.

> Elias o alcançou [Eliseu] e lançou sua capa sobre ele.
> Eliseu deixou os bois e correu atrás de Elias. "Deixa-me
> dar um beijo de despedida em meu pai e minha mãe",
> disse, "e então irei contigo". (1Reis 19.19,20)

Naquele dia forjou-se entre Eliseu e Elias um vínculo que brotou da necessidade mútua por um relacionamento de aliança. Os melhores relacionamentos são garantidos pela necessidade mútua, o seguro que resiste à traição. A necessidade mútua da videira e dos ramos cria um relacionamento que pode ser frutífero e produtivo. Esse é o vínculo que Deus envia para a vida dos homens que precisam de um pai para completar seu treinamento. A maioria dos homens necessita da aprovação de um pai, e, por esse motivo, um pai substituto precisa ser alguém que você respeita. Caso contrário, a aprovação desse pai espiritual não terá nenhum significado para você.

MENTOR, NÃO USE A MENTORIA EQUIVOCADAMENTE!

Uma das coisas maravilhosas na igreja é que ela recria um senso de família. Isso é especialmente verdadeiro para homens que nunca desfrutaram do amor e da aprovação de um pai. Os pastores precisam lembrar que um simples toque ou sorriso de sua parte renovará a segurança até do homem mais endurecido. Isso dá aos homens um senso de orgulho e afirmação que só tem paralelo no elogio de um técnico respeitado, cuja atenção pessoal dá ao jogador de futebol a aconchegante sensação de realização.

Como pastor, admito que é fácil ficar tão ocupado a ponto de esquecer como minha atenção personalizada é importante para o nível de desempenho e bem-estar daqueles a quem sirvo, especialmente no que diz respeito aos homens que trabalham comigo.

> Embora possam ter dez mil tutores em Cristo, vocês não têm muitos pais, pois em Cristo Jesus eu mesmo os gerei por meio do evangelho. (1Coríntios 4.15)

Muitos homens que entram pelas portas da igreja estão sangrando por causa de feridas profundas causadas por pais biológicos que os surraram e abusaram deles durante toda a infância. Deus se sente ultrajado quando seus filhos feridos encontram na igreja um pai substituto que maneja injustamente sua autoridade e desemboca em uma espécie de dominação espiritual, provocando novos abusos em homens já emocionalmente arrasados!

Precisamos de pais sensíveis ao fato de estarem cuidando de homens que passaram por traumas e abusos realmente desnorteadores. Líderes demais acabam infligindo os mesmos abusos que seus protegidos já sofreram com o pai biológico! Esses líderes são ditatoriais, abusivos e insensíveis e agem em nome de Cristo Jesus. Existe uma grande diferença entre ser "forte e determinado" e ser "ditatorial e abusivo"!

Muitos homens que assumem nossos púlpitos carregam a mesma quantidade de problemas não resolvidos que seus membros carregam. Ninguém é perfeito, mas, se esses subpastores não permitirem que Deus revele, confronte e cure seus próprios problemas, perpetuarão um ciclo vicioso de maldição. Esse sofrimento precisa parar!

> *Hoje, aqui e agora, repreendo a maldição e o sofrimento que bloquearam as vísceras de nossa compaixão e nos tornaram indiferentes! Antes que este homem arruíne todas as pessoas que o respeitam, libere-o para amar sua esposa e ser um pai verdadeiro para os filhos, tanto os biológicos quanto os espirituais. Liberte-o da frieza, da indiferença e do abuso. Ele está ferido e aprisionado por sua própria visão de mundo. Em nome de Jesus, eu declaro: "Soltem-se as amarras deste homem!".*

O vínculo entre Elias e Eliseu era tão poderoso que Eliseu se afastou de seus pais biológicos e de sua posição na família, para seguir Elias! Eliseu queimou a décima segunda parelha de bois que estava conduzindo e deixou para sempre os campos, pois havia encontrado um pai substituto e um mentor espiritual.

Isso prova que a adoção de um pai substituto nem sempre significa que o pai biológico era abusivo. O relacionamento substitutivo de Eliseu tinha mais a ver com sua necessidade interna de cumprir e estimular o dom espiritual e o chamado que o profeta tinha dentro de si.

DERRAME ÁGUA EM SUAS MÃOS

Se você quiser avançar da mediocridade para o sobrenatural, encontre alguém que está realizando o que você quer realizar. As pessoas nunca conseguem dar a você aquilo que elas não receberam. Ao encontrar essa pessoa, não permita que o egoísmo e a manipulação dominem sua vida. Não roube nem violente esse mentor com sua ganância ou necessidade. Derrame água em suas mãos; isso significa *servir-lhe*!

> "Deem, e lhes será dado: uma boa medida, calcada, sacudida e transbordante será dada a vocês. Pois a medida que usarem também será usada para medir vocês."
> (Lucas 6.38)

O maior investimento que você pode fazer é o investimento nas pessoas! Foi o que Deus fez. Ele investiu seu Filho na humanidade, e a colheita foi a igreja. Invista; pague o que é devido. Dê, e descubra a arte de ser abençoado! Homens de verdadeira grandeza servem. Homens de verdadeira grandeza lavam os pés uns dos outros. Você nunca encontrará a plenitude enquanto não aprender a servir a outra pessoa além de você mesmo!

Se você me mostrar um Ló que sobreviveu a Sodoma, eu mostro um Abraão que investiu em Ló. Se você me mostrar um Eliseu que fez o dobro de milagres de seu antecessor, eu mostro um Elias que ficava até tarde da noite formando seu sucessor. Se você me mostrar um Timóteo que fez tremer sua geração e se tornou um grande líder, eu mostro um apóstolo Paulo que continuava escrevendo a seu filho adotivo mesmo quando enfrentava o riso escarnecedor da morte.

Se você já alcançou algum nível de sucesso, derrame isso em alguém. Sucesso não é sucesso sem um sucessor! Paulo compartilhou seu testamento espiritual com Timóteo à medida que avançava no tempo e olhava através da janela da morte a vista cinematográfica da eternidade. Ele já havia ensinado Timóteo a pregar e a orar. Agora estava ensinando Timóteo a morrer.

> Você, porém, seja moderado em tudo, suporte os sofrimentos, faça a obra de um evangelista, cumpra plenamente o seu ministério.
> Eu já estou sendo derramado como uma oferta de bebida. Está próximo o tempo da minha partida. (2Timóteo 4.5,6)

PEGUE A CAPA

Aqui e ali, entre a turba dos embusteiros pomposos e dos soberbos prestigiados, surge alguém com a capacidade de influenciar eternamente sua vida. Ele chega humildemente a sua existência por uma entrada lateral e durante alguns momentos não passa de um convidado. No entanto, ele tem a capacidade singular de apontar seus pontos fortes. Quando ele brilha, você enxerga melhor suas próprias capacidades. Com um simples sorriso, consegue curar as feridas de sua infância. Com uma palavra, consegue reedificar sua autoestima. A atenção paterna que ele dá dignifica sua existência, e você floresce na presença dele como rosas ao sol, ou como trigo maduro num campo florescente.

Eu aviso você e todos os membros desta geração: o tipo de homens do qual estou falando entra por uma porta e sai por outra. São estranhos passando pelos dias de nossa vida. São fantasmas na noite, enviados por Deus em favor dos destituídos. São como anjos disfarçados. Não são perfeitos nem livres de falhas. Apesar disso, são poderosos e eficientes agentes de Deus, comissionados a deixar com aqueles que tocam uma capa que transmite excelência e poder.

Se Deus conceder a você a oportunidade de andar na presença de um pai substituto, você se dará conta disso sem pedir a opinião de ninguém. Quando você desligar o telefone, ficará renovado por sua voz segura e suas palavras sensatas. Ao sair de um ambiente em que ele estava, você perceberá que está "prenhe" de expectativas! Aprecie o momento e saboreie o intercâmbio de ideias, pois num lampejo ele sairá de sua visão.

> De repente, enquanto caminhavam e conversavam, apareceu um carro de fogo e puxado por cavalos de fogo que os separou, e Elias foi levado aos céus num redemoinho. Quando viu isso, Eliseu gritou: "Meu pai! Meu pai! Tu eras como os carros de guerra e os cavaleiros de Israel!" E quando já não podia mais vê-lo, Eliseu pegou as próprias vestes e as rasgou no meio. (2Reis 2.11,12)

Eles são levados repentinamente numa ventania, excluídos da vista numa nuvem. Retirados como a muleta de uma perna curada, sua partida repentina nos deixa vacilantes, pois somos obrigados a ficar em pé com nossas próprias forças. Qualquer coisa que você pense em dar a esse homem para honrá-lo e apreciar sua mentoria, faça agora mesmo. Se ele se apresentar quando seu pai biológico se afastou, se ele trouxer luz à loucura e propósito a seu sofrimento, então fale rapidamente, ame intensamente e agradeça a ele! Depois "puf"! Ele desaparecerá.

O maior elogio que você pode fazer a um pai é tomar o que ele deu a você e seguir adiante! Não podemos permanecer adorando no santuário de outro homem de sucesso; precisamos tomar o que ele nos deu e seguir em frente com rapidez. Num único turbilhão de vento, Eliseu perdeu sua muleta, seu mentor, seu mestre e seu amigo. Aquele estranho, que não era seu pai, tornara-se seu pai substituto. Na época em que Elias saiu de cena, Eliseu não apenas ansiou ter *aquilo* que seu mentor tinha; ele clamou pelo homem em si: o pai e a dádiva se tinham tornado um só! Eliseu percebeu num momento visceral de dor explosiva que Deus lhe tinha dado um *pai* substituto, então clamou aflito: "Meu pai! Meu pai!". Num lampejo, esse momento se encerrou.

Se você sentir que superou a necessidade de um pai, *seja pelo menos um pai!* Em algum lugar existe um jovem desesperado cujos vínculos biológicos foram rompidos. Ele precisa que você feche a brecha e repare as arestas grosseiras de seu coração ferido. Recomponha-o, treine-o, ensine-o e derrame sobre ele todas as coisas que você quer dizer para a próxima geração! Ele é sua nave espacial para o futuro; coloque-o a bordo e forneça a ele bastante suprimento. Quando o tempo da sua partida estiver próximo, antes de descer da nave para o chão, deixe um manto de bênção e unção atrás de você. Deixe algo para nós pegarmos!

Fico feliz de ser pai para jovens e fico feliz de ser um filho para meus preciosos pais. Minha filiação e minha paternidade nem sempre são de sangue, mas sempre representam um vínculo forte! Estamos envolvidos, atados e unidos no cumprimento divino das necessidades ordenadas por Deus. Para meu pai substituto, sou um coração preenchido e uma mão aberta. Meu coração está pleno com as muitas contribuições que outros fizeram, e eles me levaram a assumir uma posição no calor da situação. Minha mão está aberta e pronta a agarrar o que foi deixado por aqueles que caminharam a minha frente. Permaneço pronto para preservar a herança de excelência espiritual deles.

Minha mão está aberta, e meus dedos estão estendidos. Vou agarrar tudo o que deixarem cair!

> Então bateu nas águas do rio com o manto e perguntou: "Onde está agora o Senhor, o Deus de Elias?" Tendo batido nas águas, elas se dividiram e ele atravessou. (2Reis 2.14)

Para meus filhos eu digo: "Andem atrás de mim e me observem de perto. Sou um trem em movimento. Sou uma palavra no ar. Não permanecerei. Prosseguirei como meus pais e me afastarei de sua vista. Ouça minha voz que esvanece, toque meu pulso que enfraquece e saiba que estive aqui. Sou uma bolha que estoura dentro de um copo. Capte o momento, não o homem; a ele você não pode segurar. Viva o momento, meu filho, capte a sabedoria de meu coração e o benefício de meu sofrimento. Quando minha carruagem chegar e você sentir o vento, pegue o que eu deixar para você. E, por amor a Deus... prossiga!".

REVISÃO

1. O que acontece com uma criança quando alguém que ela admira faz algo detestável? _____
   _____.
2. Em algum lugar dentro do homem atormentado há um garoto atormentado que se sente _____ a _____ outras pessoas.
3. Verdadeiro ou falso: O amor de Cristo resgata homens quebrantados presos às tumbas do sofrimento. No entanto, quando eles emergem, normalmente ainda estão amarrados, presos em armadilhas e envolvidos pelo odor da decomposição. _____
4. A quem cabe desamarrar esses homens recém-ressuscitados? ____
   _____
   _____.
5. O medo do _____ pode impedir que os chamados por Deus caminhem na direção da plenitude.
6. Alguns homens precisam desesperadamente ser _____ por um pai substituto, pois necessitam passar por um relacionamento que nunca experimentaram durante a infância.
7. O vínculo entre Eliseu e Elias surgiu da necessidade _____ por um relacionamento _____.
8. Um pai substituto precisa ser alguém que você respeita, ou sua _____ não terá nenhum significado para você.
9. O simples toque ou sorriso de um pastor pode transmitir segurança para os homens, uma sensação de orgulho e _____.
10. A atenção pessoal do pastor é importante para o _____ e o _____ dos homens de seu rebanho.
11. Se você quiser avançar da mediocridade para o sobrenatural, encontre alguém que está realizando o que você quer _____.
12. Verdadeiro ou falso: Você nunca encontrará a plenitude enquanto não aprender a servir a outra pessoa além de você mesmo. _____.
13. Caso você tenha alcançado algum nível de sucesso, _____ isso em alguém.

14. Cinco coisas que a atenção de um pai substituto pode fazer por você são: apontar seus _____, curar as _____ de sua infância, reedificar sua _____, _____ sua existência e lançar sobre você sua _____ de excelência e poder.
15. Verdadeiro ou falso: Para um pai substituto fazer a diferença na vida de um homem, é preciso um comprometimento de longo prazo e anos de atenção. _____
16. Verdadeiro ou falso: Para ser um pai substituto efetivo, um homem precisa ser irrepreensível. _____
17. O maior elogio que você pode fazer a um pai é _____ o que ele deu a você e seguir adiante.
18. Quando você percebe que um homem foi enviado por Deus a fim de transmitir algo a você, o que deve fazer? (Assinale a resposta certa.)
   a. Falar rapidamente, amar intensamente e agradecer-lhe.
   b. Pendurar-se nele com cada grama de força que você tiver.
   c. As duas coisas.
19. Alguém já foi "como um pai" para você? Em caso afirmativo, qual é o nome dele e como ele o ajudou? _____
   _____
   _____.

MAIS UM DESAFIO: Existe alguém em sua vida com quem você deseja desenvolver um relacionamento de pai? Se for o caso, escreva o que você pode fazer para estimular esse vínculo. _____
_____
_____
_____
_____
_____
_____.

Comece hoje mesmo a cultivar esse relacionamento.

O melhor amigo do homem

Capítulo 11

> Depois de dizer isso, prosseguiu dizendo-lhes: "Nosso amigo Lázaro adormeceu, mas vou lá para acordá-lo". (João 11.11)

Lázaro estava mais que adormecido; estava morto! Seja como for, Jesus o chamou de "amigo". Algumas pessoas só nos chamam de "amigo" enquanto podem usar-nos ou obter benefícios com nossa amizade. Jesus considerou Lázaro seu amigo, embora seu amigo parecesse estar numa situação sem volta. O relacionamento entre eles era mais forte que o apuro que ameaçava separá-los.

Nosso Salvador mantém seu compromisso com homens que foram descartados e enterrados pelos outros. Ele sempre favoreceu os doentes, os que estão em decomposição, os que estão apodrecendo. Jesus é amigo dos pecadores. Ele vem quando os outros se afastam, e seu brilho brilha intensamente quando a vida parece mais sombria. Ele profere uma palavra de libertação que chacoalha as tumbas, libertando as criptas lúgubres e abafadas de nossa vida. Ele é um Deus de relacionamento, e sua criação nunca consegue escapar da necessidade de estabelecer intimidade com seu Criador. É de Deus que precisamos. Nada menos que isso nos servirá.

> [...] filho de Enos,
> filho de Sete, filho de Adão,
> filho de Deus. (Lucas 3.38)

Não havia nada em Adão que Deus não tivesse tocado, pois Adão foi formado pela mão do Senhor. Deus não chamou Adão à existência de um ponto distante. Ele pessoalmente tocou, acarinhou e moldou a forma de Adão até a perfeição.

As impressões digitais de Deus estão gravadas em cada fibra de nosso ser, assim como estavam gravadas em Adão. Deus nos conhece de maneira mais íntima que o sexo e mais esquadrinhadora que uma cirurgia. Ele conhece nossas partes mais íntimas. Estamos graficamente nus e totalmente expostos diante de seus olhos. Nada está oculto a sua vista.

> E todos nós, que com a face descoberta contemplamos a glória do Senhor, segundo a sua imagem estamos sendo transformados com glória cada vez maior, a qual vem do Senhor, que é o Espírito. (2Coríntios 3.18)

Temos um relacionamento totalmente aberto com Deus. Ele enxerga nossas aspirações mais profundas e conhece nossos anseios mais sombrios. O Criador cheio de sabedoria tem todo o direito de considerar odiosas nossas fraquezas, mas, em vez disso, optou por nos amar além de nossas falhas e além de nosso desespero! Não podemos forçar Deus a nos amar; nós já fomos aceitos. Ele já tem uma opinião a nosso respeito, e o sangue de Jesus adquiriu para nós uma justiça que nós mesmos jamais poderíamos obter.

HOMEM EM FUGA

A insegurança nos impede de conhecer Deus. Tentamos impressioná-lo com nosso desempenho, mas sem Deus tudo isso é basicamente uma fachada. É conhecer Deus que transforma nossa vileza em justiça, mas não conseguimos conhecê-lo quando fugimos ou nos escondemos dele!

Tudo começou quando Adão provou o fruto proibido da desobediência e trouxe a morte para o mundo. No início, a obediência de Adão manteve a morte presa longe do domínio terrestre. O pecado abriu a tranca e permitiu que a morte entrasse diretamente pela porta de seu fracasso, trazendo sobre sua descendência a maldição hereditária do pecado.

A maldição assassinou Abel fora do jardim do Éden; afogou impiedosamente homens, mulheres e crianças no Dilúvio; estuprou Diná e arrancou os olhos de Sansão. Embebedou Ló e molestou suas filhas. Emasculou os homens de Sodoma e Gomorra e queimou bebezinhos como sacrifícios nos braços de divindades demoníacas como Moloque, Astarote e Baal.

O fogo consumidor do pecado e da morte ardeu sem controle por todo o caminho até os pés da cruz de Jesus. Ali as chamas do inferno se depararam com o Único que não poderia ser consumido! Ele quebrou a maldição e destruiu para sempre o poder que a desobediência havia deixado à solta. Jesus Cristo quebrou a maldição nas farpas da cruz!

> [Jesus] cancelou a escrita de dívida, que consistia em ordenanças, e que nos era contrária. Ele a removeu, pregando-a na cruz, e, tendo despojado os poderes e as autoridades, fez deles um espetáculo público, triunfando sobre eles na cruz. (Colossenses 2.14,15)

O "primeiro Adão" ficou tão humilhado com a atrocidade de seu pecado que fez o que a maioria de nós tende a fazer quando fica envergonhada: ele se escondeu. A grande tragédia é que nós nos temos escondido desde então!

Os homens são grandes "escondedores". Escondemos nossas fraquezas, nossas inclinações e nossas curiosidades. Escondemos nosso amor e costumamos esconder também nossos medos. O hábito de esconder-nos está destruindo nossas casas, roubando de nossa esposa a intimidade, alienando nossos filhos e frustrando nosso relacionamento com Deus. Nossa "mentalidade de capa de chuva" nos fez fechar o casaco e afundar o chapéu na cabeça, cobrindo-nos com sigilo fingido e falsa obscuridade diante dos olhos de Deus.

> E ele [Adão] respondeu: "Ouvi teus passos no jardim e fiquei com medo, porque estava nu; por isso me escondi". (Gênesis 3.10)

As palavras de Adão ecoam temerosas no coração da maioria dos que lutam contra os fracassos, as fraquezas e as pressões de nossas famílias.

A maioria dos homens evita o confronto. Os mesmos homens confiantes que são durões, impetuosos e vigorosos — esses mestres da negociação no mundo corporativo — descobrem-se nervosos e ansiosos na hora de enfrentar a mulher franzina que espera por ele em casa! Os homens ficam intimidados pela voz ou pela repreensão das pessoas a quem ama ou respeita. Até os abusadores têm ansiedades por causa da confrontação e às vezes extrapolam com reações irracionais a fim de camuflar suas próprias inadequações e insuficiências.

Adão expressou esse medo quando disse: "Ouvi teus passos no jardim e *fiquei com medo*" (Gênesis 3.10). Ao enfrentar estresses e situações difíceis, você ainda consegue ouvir sua voz por baixo de toda luta?

EU ESTAVA NU

Quando o principal executivo do jardim do Éden se precipitou de seu trono e acabou exposto por causa do pecado, *ele ficou nu*. O homem de fé e de poder ficou *vulnerável*. Isso mesmo, usei a palavra amaldiçoada para os homens: Adão ficou *vulnerável*. Os homens evitam isso, mas as mulheres são obrigadas a viver perpetuamente com essa sensação. Elas são vulneráveis no quarto, na sala de reuniões da empresa e também na sala de parto!

Alguns acontecimentos podem fazer a palma de nossa mão transpirar porque nos roubam a sensação de segurança! Buscamos a segurança do disfarce e nos escondemos na escuridão para evitar qualquer forma de vulnerabilidade, física, emocional ou financeira.

Nós, homens, sentimos-nos incomodados com a adoração porque a verdadeira adoração exige que fiquemos vulneráveis ao declarar que precisamos de Deus. Nós nos sentimos muito bem dizendo ao Senhor: "Eu te quero", mas a possibilidade de dizer: "Preciso de ti" nos lança ao território da vulnerabilidade. Leva-nos a uma rua chamada "Suponha". Você já esteve lá? "Suponha que as pessoas não reajam..."; "Suponha que eu seja rejeitado..."; "Suponha que alguém ria de mim...". Muitos evitarão qualquer caminho que possa conduzir-nos à Rua Suponha.

O verdadeiro perigo é que alguns de nós nos tornamos tão vulneráveis quando desnudados que paralisamos de medo! Afirmamos não ser emotivos, mas somos tão sensíveis que uma palavra cruel vinda de uma mulher pode deixar impotente até o mais másculo dos homens! Uma observação cortante pode minar a força, o vigor e a vitalidade do mais forte dos homens. A maioria das mulheres subestima o poder que suas palavras têm para aumentar ou esmagar a força de seu marido.

As palavras raivosas que uma mãe profere com violência perto do filho podem causar grande dano a sua autoestima, além de deixá-lo fraco e inseguro, mesmo que tenham sido direcionadas a seu pai! Correndo o risco de despedaçar mitos e perder a reputação de "mim Tarzan, você Jane", precisamos ensinar nossos filhos e nossas filhas a proteger a feminilidade de suas irmãs e a masculinidade de seus irmãos. Eles estão sangrando porque foram esfaqueados com palavras descuidadas e línguas raivosas. Essas ferramentas de crueldade estão crucificando aqueles que deixarão saudade quando não estiverem mais aqui.

Adão ficou nu diante de Deus porque não conseguiu cuidar adequadamente do relacionamento com sua esposa. Ele enfraqueceu Eva unindo-se a sua fraqueza em vez de agir para salvá-la. Nós, homens, continuamos cometendo esse pecado, e as mulheres continuam esperando que façamos algo melhor. Já *reagimos* por tempo suficiente; agora precisamos *agir*. Deus quer homens que liderem, não homens fracos que apenas sigam. Isso pode soar chauvinista, mas é o plano de Deus, não o meu (v. 1Timóteo 5.8).

> Você já olhou para seu passado e disse: "Ah, se ao menos eu tivesse..."? Essas palavras revelam um profundo nível de nudez e a ausência de desculpas ou álibis. É o reconhecimento da responsabilidade que você tem sobre seu dilema. É assustador ficar nu diante de Deus, mas o Senhor nunca poderá curar aquilo que você tem medo de revelar.[2] É hora de lidar com o medo.

---

[2] Este importante princípio de plenitude é apresentado em outro de meus livros, intitulado *Naked and Not Ashamed* [Nu e sem culpa].

O medo gera casos extraconjugais quando os homens temem confrontar com sua esposa questões não resolvidas. O medo os faz carregar armas quando, lá dentro, eles receiam que alguém veja o garotinho assustado escondido por trás de uma arma grande. O homem que bate na esposa também está batendo em si mesmo, pois lá no fundo de sua alma ele sabe que sua vida está fora de controle. Sua esposa equivocadamente recebe os golpes que, na verdade, estão direcionados a ele mesmo. Por baixo de seus gritos e xingamentos, ele é um garoto aterrorizado tendo um ataque de fúria.

Agora que expusemos a verdade nua e crua, o que fazemos com isso?

TIVE MEDO

Adão confessou a Deus que tinha ouvido sua voz. O pecado de Adão o deixou vulnerável pela primeira vez em sua curta existência, e ele percebeu que sua perfeição ficou exposta, nua. Então Adão precisou admitir a verdade: "Tive medo".

Muitos homens lutam contra o medo interior. A maioria teme a intimidade e os sentimentos. As emoções masculinas tornaram-se a versão moderna da "caixa de Pandora". Não sabemos o que existe lá dentro, mas temos a sensação de que é melhor não deixar sair! Evitamos o desconhecido que está lá dentro e nos agarramos aos disfarces do homem externo.

Ficamos apaixonados pelos símbolos da masculinidade, pálidas sugestões da masculinidade representadas por empregos, carros, armas e mulheres. Nós os usamos para validar e vindicar nosso ego arranhado e frágil. Ficamos ofendidos e desalentados porque os tempos mudaram *sem nós*! Quando foi que perdemos o controle? Como recuperá-lo? De quem é a culpa? Como Adão, queremos apontar o dedo e dizer: "Fiz isso por culpa dela" ou "Fiz isso por culpa do Diabo".

Sejamos honestos: temos medo de perder nosso emprego. Temos medo de mulheres agressivas que nos pressionam além da conta por uma promoção ou oportunidade. Lamentamos nosso senso moribundo de agressão e tememos nosso senso crescente de passividade. Tememos a idade, a mudança e a passagem do tempo, e muitos se debatem desesperadamente em crises de meia-idade. O leão da masculinidade perdeu muito de seu rugido. Está com raiva e é violento. A masculinidade está sendo redefinida sem nossa permissão, e passamos a temer como se fôssemos gatinhos com medo de encarar seus medos numa sala escura.

O mais ameaçador, como aconteceu com nosso antepassado Adão, é que temos medo de nosso Deus! Nosso pecado está descoberto, e nossa culpa nos empurra para os arbustos numa tentativa de nos escondermos!

Perigosamente perdemos contato com nossos filhos. Temos dito a eles tantas vezes "Não sei, pergunte a sua mãe" que eles nos deram uma carta de divórcio da paternidade. Temos agido como se não quiséssemos jogar, por isso nossos filhos pegaram seus brinquedos e saíram em busca de mentores mais dispostos. Nossas ações nos excluíram do processo decisório dentro de nossa casa!

Lázaro, acorde! O inimigo está roubando sua casa. Você é apenas "o cara que chega de noite e sai de manhã"? Qual é sua importância para sua família?

"Mas estou cansado. Trabalho duro."

Ouça: o inimigo quer que você fique tão cansado a ponto de tornar-se um pai ausente em sua própria casa! Bem, simplesmente diga: "Não, Diabo"! Lázaro está acordando de seu sono. Sua esposa está cansada, e seus filhos se sentem solitários. Em nome de Jesus Cristo, seja "um homem sem amarras: deixe-o viver!".

Assim como o desgastado Jacó, que passou a noite de núpcias com Lia e só pela manhã percebeu que ela não era sua amada Raquel, falhamos em reconhecer a mulher que abraçamos durante a noite.

Você já tocou e acariciou sua esposa, já se divertiu com ela, e tudo isso sem conseguir conhecê-la? Quanto tempo faz que você olhou no rosto dela? No começo sua esposa era mais do que calor na cama e comida no fogão; era mais do que apenas outro salário contribuindo para a renda da família. Ela era a melodia de sua canção e o aroma de sua rosa! O que aconteceu com aquela mulher maravilhosa que era o confortável cobertor que o isolava dos ventos frios do descontentamento? Você está sentindo novamente aquele frio?

Homem de Deus, *você foi roubado*! O inimigo roubou o sentimento caloroso e eufórico de seu coração! Ele arrancou o faiscar de seus olhos! Como você permitiu que ele roubasse seu desejo, o troféu de seu relacionamento amoroso e cuidadoso — e, sim, o relacionamento mutuamente vulnerável com sua amante e noiva?

Você quer ter isso de volta? *Lute*! Arregace as mangas e recupere sua criatividade. Relembre as músicas suaves, acenda as velas perfumadas, faça as longas caminhadas de desejo e uma vez mais murmure palavras apaixonadas nos ouvidos de sua parceira. Tome de volta aquilo que o inimigo está tentando roubar de você. Não tenha medo: os ardis do Diabo não funcionarão. Não acredite em suas mentiras, nunca é tarde demais. Lázaro, venha para fora!

Deus ordena que tomemos uma posição, persigamos as bênçãos e realizemos milagres! Deus desceu para confrontar pessoalmente Adão. Agora ele desceu para confrontar *você*! Deus o tem chamado *mediante* as coisas pelas quais você tem passado! Seus problemas são chamados para uma confrontação com o Deus vivo que você teme!

Você teme não ser aceito caso responda ao chamado divino? A maioria age como Adão: prejulgamos Deus, supondo que uma confrontação aberta com ele será negativa. A verdade é que sem Deus ficamos temendo e tremendo em nossa fraqueza solitária. Nossas tentativas feitas com raiva não passam de uma fina camuflagem para a incerteza e o medo corrosivos que nos consomem.

É trágico que a maioria de nós suponha que Deus não ama os homens caídos e temerosos tanto quanto ama os homens do tipo "está tudo sob controle". Observe Adão mais de perto! Ele parecia ter tudo sob controle. Ele pessoalmente deu nome a cada animal, subjugou cada criatura e exerceu domínio sobre o jardim de Deus. Por que ele se escondeu nos arbustos em Gênesis 3, como se fosse um jardineiro no quintal? Adão não percebeu que Deus ama os homens decaídos tanto quanto ama os homens vigorosos. Se permitirmos que o Senhor nos toque, seu amor transformará o decaído em poderoso. Infelizmente, o inimigo sabe que isso nunca acontecerá se continuarmos escondendo-nos naquilo que antes controlávamos. Deus nos chama para sairmos dos arbustos e entrarmos na luz.

EU ME ESCONDI

Adão teve medo de revelar-se, por isso se escondeu. Homens que temem revelar-se gostam de dar "coisas" como dinheiro, presentes, casas ou mesmo sexo. Todas essas coisas são mais fáceis de dar do que dar de *nós mesmos*.

Adão não escondeu sua obra; ele se escondeu atrás de sua obra. Você já escondeu quem você é daqueles que estão a sua volta? Você já escondeu daqueles que o cercam como você está mudando ou envelhecendo? Você já escondeu suas necessidades para então ficar irritado porque elas não foram satisfeitas?

"Eu me escondi." Não é possível ter amizades genuínas se você esconde seu verdadeiro eu. Se você se esconder, seus amigos amarão *aquilo que você faz, não aquilo que você é*!

Suponha que, por algum motivo, você não consiga mais "fazer o que faz". Alguém ama você simplesmente porque você é você? Você revelou seu "eu verdadeiro" a alguém mais? A amizade verdadeira e a intimidade verdadeira são alcançadas quando você fica tão à vontade que pode ser você mesmo. Pare de se esconder. Caso contrário, você pode perder seu eu verdadeiro e tornar-se a mentira que você finge ser!

O seu Deus amoroso busca o homem que ele criou e que está ferido. Deus é sua única esperança, sua última chance e sua única solução. No entanto, em vez de correr para os braços de Deus, você insiste em esconder-se atrás das folhas de figueira das realizações humanas, folhas ridiculamente pequenas e moribundas. O diminuto avental de folhas rasgou-se no instante em que era feito, e Adão não teve o bom senso de sair do esconderijo! Você também não tem nenhuma desculpa.

Você está passando por situações que estão desmoronando? Talvez você esteja cansado e preocupado, mas existe um Deus no jardim que anseia curar o coração doente de homens quebrantados. Você ouviu a voz dele? Ele está procurando em meio aos galhos mortos e às folhas despedaçadas de seu disfarce paliativo, porque quer trazer à tona quem você realmente é. Não é necessário fazer nada. Você não precisa impressioná-lo e, de qualquer forma, não conseguirá mesmo fazê-lo. Ele já conhece todas as dores que você esconde, por isso saia dos arbustos. Esteja você certo ou errado, fraco ou forte, seu Pai está chamando você.

A maioria de seus empregos e relacionamentos foi construída sobre seu desempenho pessoal e suas realizações, mas o chamado de Deus não é assim. Tudo o que Deus quer é você:

completo com seu constrangimento, fracassos, medos e joelhos esmagados. *Ele é seu melhor amigo* e anseia enxugar suas lágrimas secretas, fortalecer seu coração, salvar seu lar e mudar sua vida! Você pode relaxar porque Deus ama você, seja você fraco ou forte, seja alto ou baixo, seja magro ou gordo, seja certo ou errado.

> "Ninguém tem maior amor do que aquele que dá a sua vida pelos seus amigos." (João 15.13)

Jesus foi o único que se dispôs a morrer para ser seu amigo! O amor de Cristo é seguro: ele conhece seus medos ocultos e suas mágoas secretas. Ele talvez não concorde com tudo o que você pensa ou faz, mas está comprometido em ajudar você a tornar-se aquilo que é seu destino, irretocável em amor.

A solidão é impossível, uma vez que você entenda que Deus está comprometido com você.

Os homens se debatem com o compromisso. Quando conheci minha esposa, sabia em meu coração que era ela a mulher para mim. No entanto, foi a coisa mais difícil no mundo fazer que minha boca se abrisse e pronunciasse as palavras "Vaaa... moo... mos caa... saaa... aar?". Meninos raramente conversam sobre o "tipo de mulher" com quem querem casar. O compromisso é coisa difícil para nós, homens, porque temos medo de nos arrepender! Temos medo de pensar: "Talvez eu esteja cometendo um engano". Nunca me arrependi da decisão de casar com Serita, mas foi difícil fazer minha boca se alinhar a meu coração e dizer aquele "Sim" impronunciável.

Muitos de nós nos debatemos com o compromisso porque raramente o vemos nos outros. Devemos olhar para Deus em vez de olhar para os homens. O Senhor se comprometeu a nos amar, embora às vezes sejamos verdadeiras "crises ambulantes". Ele é apaixonadamente fiel com uma raça de verdadeiros "trapalhões".

Encare os fatos: Deus ousa ser seu amigo. Se ele suporta amar você, com certeza você é capaz de aprender a amar as imperfeições de sua esposa e de outras pessoas (sem usar as imperfeições dos outros como desculpa para a promiscuidade!).

Deus nos ensina a amar pelo exemplo.

A necessidade de mostrar desempenho e realizações desaparece. Ao se afastar dos arbustos e retirar as ridículas folhas de parreira, você descobrirá como é renovador ser perdoado e aceito por quem você realmente é. Quando nos aproximamos de Deus em nossa nudez, ele nos diz para relaxar: "Sou apenas eu, o Papai". Um dos guerreiros mais másculos da Antiguidade revelou o segredo do descanso de Deus. Leia cada palavra lentamente e em voz alta para si mesmo. Deixe que esse texto leve cura a seu coração desgastado.

> O Senhor é o meu pastor; de nada terei falta.
> Em verdes pastagens me faz repousar
> > e me conduz a águas tranquilas;
> restaura-me o vigor.
> Guia-me nas veredas da justiça
> > por amor do seu nome.
> Mesmo quando eu andar
> > por um vale de trevas e morte,
> não temerei perigo algum, pois tu estás comigo;
> > a tua vara e o teu cajado me protegem.
>
> Preparas um banquete para mim
> > à vista de meus inimigos.
> Tu me honras,
> > ungindo a minha cabeça com óleo
> > e fazendo transbordar o meu cálice.
> Sei que a bondade e a fidelidade
> > me acompanharão todos os dias da minha vida,
> e voltarei à casa do Senhor enquanto eu viver.

(Salmos 23.1-6)

Davi está dizendo: "Relaxe, meu amigo. Não se alcança a bênção divina com esforço, mas pela própria bondade de Deus. Ele faz um favor a você ao abençoar você porque é seu amigo".

Como homens, eu e você somos reflexos de Deus. Fomos criados à imagem e semelhança de Deus. Sim, eu e você fomos criados para refletir sua divindade e representar sua inteireza para um mundo decaído. Não é irônico que, para agirmos assim, precisemos estar nus diante de Deus?

Acalme-se com a lembrança de que Deus está com você. Você pode enfrentar lutas em seu casamento e adiamentos em sua carreira. Talvez você ainda sinta o impulso de validar seu respeito próprio tateando desesperadamente por coisas, mulheres ou outros sacrifícios inaceitáveis. Seja o que for que você esteja enfrentando, leve isso a Deus, mesmo as questões que, em sua opinião, ninguém entenderia. Deus conhece você. Ele pode curar a dor que você esconde atrás de seu olhar duro e de sua postura ríspida. Não construa seu sucesso em cima de uma úlcera. Se você não aprender a sair dos arbustos e a comunicar-se abertamente com Deus, ficará sufocado atrás da máscara repressora da falsa masculinidade e entrará em colapso no palco da oportunidade. Você alcançará o topo do sucesso somente para desmoronar na montanha mesma que gastou energia para escalar!

Jesus disse a seus discípulos: "Nosso amigo Lázaro está dormindo. Precisamos ir até lá acordá-lo". Jesus também está tentando acordar você. Diminua o ritmo e viva. Deus está chamando.

> *Ei! Acorde antes que você comece a apodrecer no frio mausoléu do machismo. Nem o orgulho nem seu ego valem a destruição de sua potência como pai, marido e homem. Acorde e segure minha mão.*

PROCURE PELA MÃO DE DEUS

Pedro tentou andar com Deus numa tempestade e num palácio. Em uma situação ele foi praticamente engolido pelas ondas turbulentas de um mar bravio, e na outra situação quase foi solapado ao trair a confiança do Senhor. Em cada fracasso, pouco antes de ser completamente tragado, *Pedro viu uma mão santa estendida para ele*! "A despeito de seu fracasso, você é valioso demais para mim, é valioso demais para que eu o perca."

Deus estende sua mão amorosa para cada homem em recuperação. Essa mão pode conduzir um homem pelo labirinto de seu sofrimento na infância, levando-o ao brilho da maturidade e da estabilidade santa. Admitindo ou não, você precisa da mão de Deus! Os tempos e as circunstâncias estão mudando. Se não engolir seu orgulho, admitir seu pecado e aceitar a mão que Deus está estendendo, você perecerá! Deus não o trouxe até aqui para o ver afogar-se no final. Basta erguer a cabeça na tempestade e procurar pela mão de Deus.

A mão de Deus está disponível para todas as noites escuras, para todos os segredos manchados e para todos os casamentos feridos. A mão de Deus é calorosa e terna, porém firme e forte. Ele enxuga as lágrimas ocultas que nunca permitimos que escorressem. Ele pode ressuscitar e purificar as coisas mortas em nós, e fortalecer os pontos fracos que tentamos esconder. A mão de Deus toca a desordem e corrige o que existe de errado em nós.

Não importa o que esteja faltando em você, uma coisa você tem! Não importa quão profunda seja a dor, não importa quão temeroso seu drama o tenha deixado, você ainda é abençoado. A mão de Deus o ergueu da tempestade e o pôs em sua presença! Ele o levantou do fracasso emasculado para garantir sua masculinidade e sua filiação.

Suas bênçãos transcendem o comércio e as negociações. Superam todos os troféus e o cerimonial pomposo e temporário dos seres humanos. Você é abençoado além das buscas cotidianas pelo autoengrandecimento. Você foi elevado a outro nível. Abraçou as estrelas e deu as mãos para o Criador do Universo. Você nunca terá sucesso maior do que o sucesso que experimentará quando, ao longo do desespero repulsivo e do perigo assustador, cambalear e cair nos braços de Deus. Em Jesus, você encontra um amigo mais chegado do que um irmão!

REVISÃO

1. Conhecer Deus transforma nossa vileza em _____, mas não conseguimos conhecê-lo quando _____ ou nos escondemos dele!
2. O pecado de Adão abriu a tranca e permitiu que a morte entrasse pela porta de seu fracasso, trazendo sobre sua descendência a _____ do _____.
3. O fogo consumidor do pecado e da morte ardeu sem controle até chegar à _____ de _____.
4. Jesus quebrou a maldição e destruiu para sempre o poder que a __ havia deixado à solta.
5. O que Adão fez depois de ter pecado? _____
6. Liste quatro perdas sofridas pelo homem que tem o hábito de esconder fraquezas, amor e medo.
   a. _____
   b. _____
   c. _____
   d. _____
7. Verdadeiro ou falso: Até mesmo homens confiantes ficam intimidados pela voz de repreensão daqueles a quem amam ou respeitam. _____
8. Os homens buscam a segurança do disfarce e se escondem na escuridão para evitar qualquer forma de _____, física, emocional ou financeira.
9. Por que muitos homens não se sentem à vontade na adoração? _____
10. Adão não cuidou adequadamente de seu relacionamento com sua esposa: ele enfraqueceu Eva unindo-se em sua fraqueza em vez de

_____
_____
_____.

11. Deus quer homens fortes que _____ em vez de homens fracos que só _____.
12. É assustador ficar nu diante de Deus, mas o Senhor nunca poderá _____ aquilo que você tem medo de _____.
13. Verdadeiro ou falso: O homem que bate na esposa também está batendo em si mesmo, pois lá no fundo de sua alma ele sabe que sua vida está fora de controle. _____
14. Dê alguns exemplos de medos interiores que os homens de hoje enfrentam: _____
_____
_____
_____.
15. Nossas próprias ações, tomadas como resultado de nossos _____, nos excluem do processo _____ dentro de nossa casa.
16. Deus quer _____ você e o está chamando por meio dos problemas pelos quais está passando.
17. Verdadeiro ou falso: Deus não ama homens caídos e temerosos tanto quanto ama os homens do tipo "está tudo sob controle". _____.
18. Deus é sua única _____, sua última _____ e sua única _____.
19. Deus quer que você revele seu _____ eu.
20. A maioria de seus empregos e relacionamentos foi construída sobre seu desempenho pessoal e suas realizações, mas tudo o que Deus quer é _____, com todos os seus constrangimentos, fracassos, medo e joelhos esmagados.
21. Deus é seu melhor amigo, e você pode _____ com ele.
22. Saindo de seu esconderijo, você descobrirá como é _____ ser perdoado e aceito por quem você realmente é.
23. A bênção divina não é alcançada com _____, mas pela própria _____ de Deus.

MAIS UM DESAFIO: Você se tornou um pai ausente em sua própria casa? Você está preparado para dizer "Não, Diabo"? Que passos

específicos você pode dar hoje para mudar seu nível de envolvimento com sua esposa? _____
_____
_____
_____
_____.

Com seus filhos? _____
_____
_____
_____
_____.

Lembre-se: não é tarde demais!

A síndrome de Saul

Capítulo 12

> As mulheres dançavam e cantavam:
> "Saul matou milhares,
> e Davi, dezenas de milhares".
> Saul ficou muito irritado com esse refrão e, aborrecido, disse: "Atribuíram a Davi dezenas de milhares, mas a mim apenas milhares. O que mais lhe falta senão o reino?" Daí em diante Saul olhava com inveja para Davi.
> (1Samuel 18.7-9)

O REI SAUL FOI A estrela de seus dias, o principado principal de sua época, o homem mais respeitado no reino. Era o escolhido de Deus e representava uma bênção para Israel. Davi o admirava de tal maneira que, mesmo quando o pecado de Saul solapou seu propósito, Davi continuou a respeitá-lo por aquilo que Saul tinha sido um dia. Saul era o rei, e o jovem Davi havia matado o gigante para ele. No entanto, não importava o tamanho da admiração e do respeito de Davi por Saul, nada poderia alterar o propósito maior de Deus.

Saul não era assim tão ruim; ele simplesmente não conseguia aceitar mudanças. Sua grande tragédia é compartilhada por milhões de homens em nossos dias: a incapacidade de dizer adeus ao exercício da força! Não permita que o orgulho roube de você a vida e a força. Desfrute cada estágio de sua vida e, quando Deus disser "Abra mão disso!", entregue tudo a ele!

Barbas ficando grisalhas, cabeças perdendo os cabelos e tríceps enfraquecendo denotam certas realidades que não podem ser ignoradas. Nem sempre elas sinalizam um declínio significativo; às vezes são mensageiras que confirmam nossa chegada a um estágio no qual Deus quer atribuir-nos outra função (ele mudou minha função diversas vezes ao longo da vida). Um aviso soa verdadeiro para todos nós: ficamos vulneráveis à "síndrome de Saul" sempre que perdemos a flexibilidade e nos tornamos possessivos e temerosos à mudança.

Eu me qualifico como "um homem de meia-idade relativamente jovem", mas preciso aceitar a realidade de certas mudanças em minha resistência, intensidade e perseverança (sim, estou sendo gentil comigo mesmo). Essas mudanças são evidenciadas todos os dias por meus cinco filhos, cujo rápido crescimento é um anúncio público de meu constante "progresso" cronológico.

Sou um contraste relutante, porém claro, para meus dois filhos gêmeos, cuja masculinidade está despertando como um gigante adormecido. Esse despertar da juventude é tenro e vibrante, e seus reflexos são bastante aguçados. Eles levantam pela manhã como se tivessem acabado de malhar na academia e passado por uma massagem! Quando acordo pela manhã, meus ossos ficam parecidos com o cereal que eu costumava comer de manhã quando era pequeno: eles fazem "*crac, pop, snap*". É um consolo que, depois de uma série de esticadas, espreguiçadas e qualquer outra coisa que precisamos fazer, mas não precisamos discutir, eu consiga, de maneira geral, pôr este meu corpo "maduro" em funcionamento.

Quando meus filhos mais velhos me desafiaram a levantar da mesa de jantar e dar uma série de cambalhotas, dei uma risada e sabiamente declarei: "Posso fazer qualquer coisa que já tenha feito. É que, neste estágio, preciso de um motivo melhor para fazer isso do que precisava quando tinha a idade de vocês!".

Falando sério, seria tolo competir com meus jovens e exuberantes filhos. Não fui chamado para *competir* com eles; fui chamado para *cultivá-los*. Só consigo ficar à vontade nessa situação se tiver aprendido a apreciar os diversos estágios da vida. Compreendo que este estágio tem diferentes vantagens e desvantagens em relação a outros estágios de minha vida.

Poucas coisas são mais patéticas do que ver um homem idoso largando o andador na garagem e entrando num Corvette novinho. O carro é rápido demais para a mão que o controla. É esse o ridículo que aparentamos quando deixamos de apreciar o momento em que vivemos e o que devemos fazer em um estágio específico da vida!

As capacidades físicas e mentais variam de pessoa para pessoa, mas nunca tema redefinir suas prioridades. Aprenda a apreciar os diversos estágios da vida em vez de temê-los. Não é pecado querer um Corvette na terceira idade, mas talvez não seja o mais sensato desejo a ser buscado com avidez. A maior porção da sabedoria diz que talvez seja mais sensato pegar uma *carona* num carro esportivo do que *dirigi-lo* aos 9 anos!

IDADES E ESTÁGIOS

Que idade é preciso ter para ser velho? Com que idade nos tornamos idosos? Não sei dizer e, quando estiver velho, provavelmente não saberei. Minha avó, que rapidamente se aproxima de seu 100º aniversário, certa vez me disse: "Enquanto conseguir sair da cadeira sem ter de preparar-se meia hora antes, você não está velho!". A grande preocupação dela é manter-se funcionando.

Alguns indivíduos simplesmente envelhecem sem ficar velhos. Eles resistem à tentação de ficar antiquados, mas fazem isso sem cair no ridículo. Vestem-se e agem apropriadamente a sua idade e seu estágio físico, mas se recusam a ficar ressequidos! Esses não são os homens que correm atrás de mulheres mais novas, só para pegá-las e cair no sono com o cheiro de uma massagem acalorada no quarto. São os homens que encontraram riquezas em todos os estágios da vida e desenvolveram uma apreciação por todos os estágios que alcançaram.

Consigo fazer algumas coisas como homem que meus filhos não conseguem. Gosto da independência e da capacidade de tomar minhas próprias decisões. Sou velho demais para ser uma criança, mas também sou novo demais para ser um idoso. Esse estágio intermediário da vida permite que eu fique perto do fogo com os anciãos, saboreando sua sabedoria e visão de mundo, e depois desfrute de um bom jogo de futebol com os jovens, experimentando o fogo de seu entusiasmo.

Meus filhos também estão desfrutando sua idade. Recebem provisão sem ter de prover. Para eles, a vida é uma pérola ainda incrustada em sua ostra protetora. Eles possuem a empolgação do inexplorado e inebriam-se com a equivocada sensação de serem imortais! Também se embebedam com planos e se empolgam com promessas de pessoas que me causam suspeitas e em quem não me disponho a acreditar. A ideia que eles fazem de um dia proveitoso é aquele em que, de alguma maneira, eles pegam a chave do meu carro. Minha ideia de um dia proveitoso é aquele em que mandam para mim o extrato de financiamento do carro totalmente pago!

Os homens mais velhos conseguem apreciar certas coisas que ainda não consigo apreciar. Eles podem dispensar os deveres diários e as preocupações de educar os filhos em casa (embora o amor paternal nunca nos deixe totalmente livres dos embaraços paternais). Se tiverem sido sábios, podem dar-se ao luxo de curtir longas férias ou uma boa aposentadoria. Eles entraram num estágio de manutenção completamente distinto da luta diária para realizar coisas.

É uma tolice chegar a esse estágio avançado e atacar a vida em vez de simplesmente desfrutar dela. Os homens que são sobreviventes e vitoriosos experientes tornam-se um tributo e um testemunho para os homens mais novos e também para os mais velhos que logo entrarão no estágio avançado. Não somos adversários; somos simplesmente homens correndo a mesma corrida em estágios e raias diferentes. Devemos permanecer em nossa raia e prosseguir na corrida!

O corpo dos homens que saíram a nossa frente mudou, mas as realizações alcançadas e os frutos que eles colheram os tornam monumentos vivos de excelência e integridade masculina. Eles representam a principal coleção de troféus do tempo. Posicionam-se com sabedoria e olham para nós com olhos enrugados, com um sorriso que reflete orgulho e força silenciosa. São velhos leões que calmamente examinam o mundo de um canto retirado, ou caminham pela vida com sabedoria conquistada em décadas de decisões certas e erradas. *Nós precisamos deles*!

Cada estágio da vida tem seus próprios desafios e potenciais. Em algum ponto a minha frente, em outro estágio, está o sorriso do contentamento que exibirei se tiver lidado corretamente com esse estágio. É o sorriso que surge de saber que aproveitei o dia e vivi ao máximo. Levantei-me para chutar, chutei forte e corri com tudo. É o sorriso que nasce do prazer da realização.

Não é possível fazer o tempo parar. Tudo está em movimento. As estrelas de cinema de ontem já não nos entretêm com a intensidade de antes. A opinião pública é volúvel, e, como diversos famosos decaídos já descobriram para o próprio desalento, as pessoas mudam de opinião sobre você num instante! Num momento elas se aglomeram a seu redor e, no dia seguinte, passam correndo por você e entronizam outro alguém. Quer um conselho? Não leve tão a sério a opinião dos outros.

Saul se debateu com os caprichos inconstantes do povo. Viciou-se em seus elogios, mas a multidão, que antes urrava por ele, agora torcia por outro. Com frequência o inimigo usará nosso ego contra nós, à medida que atravessamos de um estágio a outro. Diferentemente de Saul, você e eu precisamos preparar-nos financeira, espiritual e emocionalmente para o amanhã. Apólices de seguro de vida, testamentos, planos de aposentadoria e portfólios de investimento são as ferramentas do visionário que entende que tudo é passageiro. Precisamos ser bons mordomos de nossa força e usar nossos dias de sol em preparação para os dias de chuva.

Muitos homens grandiosos deixaram de preparar-se para os dias de inverno: acharam que continuariam sendo o que foram quando estavam no ápice. Obviamente, isso não é verdade. A filosofia cristã dominante é desconsiderar os planos para o futuro e simplesmente "aguardar a volta do Senhor". Se esta for sua convicção, eu o desafio a viver de maneira santa, como se ele viesse pela manhã, mas a preparar-se e desenvolver-se como se ele não viesse.

> Os filhos não devem ajuntar riquezas para os pais,
> mas os pais para os filhos. (2Coríntios 12.14)

Precisamos deixar uma herança para a próxima geração. Muitos de nós passamos por tempos difíceis porque não nos deixaram nada sobre o que edificar! Se cada homem somente der provisão para seus dias e nada mais, então ele está mandando seu filho lá para trás, para o primeiro passo, a fim de começar tudo de novo! Deus quer que seu povo construa riquezas e transmita sabedoria de geração em geração.

Pai, prepare o terreno para seu filho. Pastor, prepare o terreno para seu sucessor. Se você ousar envolver-se com a próxima geração, sempre fará *parte* do sucesso dela em vez de ficar *intimidado* com esse sucesso!

É um trágico desperdício um homem não ter nenhum outro crédito além daquilo que consumiu. Tome cuidado para não se tornar alguém que é melhor consumidor do que investidor. Esta é a marca do homem autocentrado!

Muitas pessoas talentosas abençoam todos com seus dons e acabam morrendo pobres por terem suposto que sempre seriam capazes de repor aquilo que gastaram. O gasto excessivo as pegou porque elas não perceberam que nem sempre teriam a mesma taxa de produtividade! Os filhos ficam irritados por terem sido privados da presença dos pais em sua infância e adolescência porque eles estavam "muito ocupados". Agora, após sua morte, nega-se também a eles uma herança!

Deus quer que você seja mais sensato. Deixe para seus filhos uma herança espiritual e natural. Qualquer pessoa que vier depois de você — um filho ou um sucessor — deve ter uma vida mais fácil do que a sua, porque pessoas abençoadas sempre deixam uma bênção!

Tenho uma notícia para você: à medida que você envelhece, seu potencial de gerar dinheiro diminui drasticamente! O que está fazendo com as horas de dia claro que ainda restam a você? Querido irmão, quando a noite chega, nenhum homem — não importa o tamanho de seu talento — consegue trabalhar!

Sei que isso não soa espiritual, mas é verdade. Deus abre espaço para nós nos prepararmos, mas ele não pode atrasar seus propósitos só porque falhamos na hora de planejar. Eu o desafio a preparar um plano para o futuro! É da vontade de Deus que você não apenas seja abençoado, mas também se torne uma bênção como homem de Deus. O Senhor disse a Abraão que todas as famílias da terra foram abençoadas por causa dele (v. Gênesis 18.18).

Ensine a sabedoria para seus filhos. Mostre-lhe como ganhar a vida e como investir os ganhos para obter o máximo retorno. Ensine seus filhos a lidar com o dinheiro sem adorá-lo! Você tem um plano de vida, ou está pedindo que sua esposa e filhos o sigam enquanto perambula pelo "carnaval da vida", escolhendo caminhos a esmo? Você precisa de um plano realista que dê espaço para as mudanças nos diferentes estágios da masculinidade. Ciente de que nem sempre você estará no estágio em que está agora, é preciso saber capitalizar este breve momento de sua história. A graça de Deus está dando uma chance para que você se prepare para o estágio seguinte.

Edifique uma fundação no melhor de sua força e produtividade sobre a qual você possa apoiar-se nos anos da velhice. Caso contrário, a necessidade e a amargura podem gerar inveja, raiva e frustração. Se você é um jovem buscando um pai substituto, cuide para escolher um homem que tenha incluído em seus planos provisão para os anos da maturidade. Caso contrário, mais tarde ele pode ter ciúmes de você, e vocês dois sofrerão na prisão amarga da "síndrome de Saul".

O reino precisa de pais seguros, pais espirituais que não "molestarão" seus filhos financeira, espiritual ou emocionalmente. A única maneira de obter segurança duradoura é fazer provisão para nossas necessidades futuras durante a época de maior vigor. Crie um plano que permita que você seja conduzido por Deus em vez de ser impulsionado pela necessidade.

Muitos pais que tiveram sabedoria em outras áreas fracassaram na hora de preparar-se para os estágios mais avançados da vida. Nada é mais perturbador do que ver um homem de idade lutando para apenas sobreviver. Ele deveria ser capaz de gastar tempo em oração e de cuidar de seus netos. Deve haver uma maneira melhor!

SEJAMOS HOMENS NOS NEGÓCIOS!

Está na hora de você e eu crescermos e buscarmos outros interesses além de jogos e garotas! Está na hora de fazermos nossa força valer no verão para que possamos ficar quentes e confortáveis no inverno! Saul resistiu ao inevitável e desperdiçou seus últimos anos tentando assassinar o jovem que mais admirava, pois teve inveja de Deus ter escolhido Davi para substituí-lo como rei.

Se você se magoa toda vez que ouve a multidão entoar o nome de outra pessoa, não está preparado para a mudança que isso sinaliza. Se você não aprendeu a ter orgulho de contribuir para o sucesso de outra pessoa, como faz um bom técnico, está sofrendo da "síndrome de Saul"! No final, Saul perdeu tudo porque não se moveu quando Deus disse que era hora de mover-se. É trágico arruinar sucessos anteriores por não conseguir entender de quem é a vez de subir ao palco!

Confesse comigo: "Eu me transformarei e me recuso a transgredir o direito dos outros. Sou forte em todas as idades. Sou vibrante em todos os estágios. Sou um homem sem amarras, não um homem à solta por aí. Não estou fora de controle, nem estou longe das minhas conquistas".

Aceitar a mudança na vida não significa que me levarão a um lugar distante para que morra. É simplesmente buscar os interesses que cada estágio da vida proporciona. Não quero comer comida cara demais, dirigir carros velozes demais, nem atacar gigantes grandes demais!

TUDO PRECISA MUDAR

> E Isbi-Benobe, descendente de Rafa, prometeu matar Davi. (A ponta de bronze da lança de Isbi-Benobe pesava três quilos e seiscentos gramas, e, além disso, ele estava armado com uma espada nova.) Mas Abisai, filho de Zeruia, foi em socorro de Davi e matou o filisteu. Então os soldados de Davi lhe juraram, dizendo: "Nunca mais sairá conosco à guerra, para que não apagues a lâmpada de Israel". (2Samuel 21.16,17)

A força jovem de Davi aterrorizava e intimidava seus inimigos nos primeiros anos, mas o tempo muda tudo. Até Davi descobriu que sua força e seu chamado originais haviam mudado. Ele já não era necessário nem estava preparado para lutar como um guerreiro. *Ainda era necessário*, mas agora deveria liderar no papel de rei. Suas armas eram a sabedoria e a unção de Deus, não a espada nem o escudo.

Quem quer contratar uma pessoa que não mostra flexibilidade? Quem precisa de um funcionário que não gosta de reciclar-se, de ajustar-se a tempos e necessidades em mudança? Quem teria a expectativa de ver um general de compleição frágil carregando caixas de munição pesada no calor da batalha, quando ele poderia ser muito mais útil num posto de comando, orientando os jovens e os fortes com a sabedoria de seus cabelos grisalhos?

É preciso ter o cuidado de amar mais aquele que atribui a você a tarefa do que a atribuição em si. É preciso amar mais Deus do que qualquer coisa que ele peça para você fazer. Em última análise, chegará o dia em que Deus não pedirá que você lhe sirva dessa maneira. Não permita que seu emprego, seu casamento ou seu ministério roube de você o andar com Deus, pois todas essas outras coisas estão sujeitas à mudança.

Aprenda com os erros de Davi. No calor da batalha, ele tentou matar um gigante da mesma maneira que tinha feito no passado. Ficou chocado ao perceber que ele também estava começando a sofrer da "síndrome de Saul". Seu caráter e sua moralidade estavam intactos, mas ele não conseguira reconhecer o novo estágio em sua vida, e isso quase foi fatal. Somente a intervenção rápida de um jovem guerreiro o salvou.

Davi percebeu que já não precisava matar gigantes; ele agora contava com jovens que poderiam matar os gigantes em seu lugar. *A liderança excelente sempre prepara sua saída de cena*! Devemos sempre estar treinando e ensinando até o dia em que sairemos do trabalho e entraremos na recompensa.

A estagnação é inimiga do progresso. Continue em movimento. Quando você aprender a arte de desapegar, começará a esperar por coisas mais grandiosas. As pessoas só se apegam a algo quando acreditam que nada mais funcionará.

> É como árvore plantada
> à beira de águas correntes:
> Dá fruto no tempo certo
> e suas folhas não murcham.
> Tudo o que ele faz prospera! (Salmos 1.3)

Não permita que sua folha murche só porque sua temporada está terminando! Dar frutos e deixar que suas folhas murchem são coisas totalmente diferentes. Saul permitiu que suas folhas murchassem quando soube que sua estação frutífera havia acabado. Sua temporada estava terminando, e a de Davi estava começando, mas Saul poderia tê-la prolongado ao obedecer à palavra de Deus (v. 1Samuel 15.22).

Quando a época de frutificação acaba, você ainda pode ficar com as folhas! As folhas murchas significam a presença da doença ou a morte iminente da árvore. Não permita que a doença da amargura faça murchar sua folha e mudar sua atitude. Se você for sábio, será capaz de viver com base na colheita e na prosperidade do passado. Por baixo dos ramos, você verá novos brotos surgindo como consequência de sua presença. Podem ser árvores novas, mas ainda são frutos seus. Continue prosperando e produzindo por meio da vida de seus descendentes.

Os homens talvez esqueçam rapidamente a obra que você realizou, mas essa é uma perda deles. Qualquer cultura que deixe de honrar seus pais durará pouco, mas asseguro que Deus mantém um registro. Ele retribuirá a você por todo sacrifício que fizer e por toda obra que realizar. A paga não está limitada à eternidade após a morte; você pode esperar recompensas agora mesmo. Haverá bênçãos para o acordar de manhã e misericórdias para o embalar de noite!

Ande de cabeça erguida e firme-se em sua posição. Precisamos de sua presença! Você é a luz de Israel e um ponto luminoso de revelação em nosso país. Você é importante demais para ter de fazer o que fazia no passado. Prepare-se para distribuir conselhos diante do fogo como um chefe sábio. Se você criar a estratégia, lutaremos na guerra armados com a sabedoria dos idosos e a força zelosa dos jovens! Sua sabedoria é mais aguçada e mais eficaz que a flecha retesada no seu arco, e seu encorajamento calmo é o combustível que nos dá energia para guerrear. O simples sorriso de um ancião santo exorciza os demônios de nossos jovens e estabiliza o medo transitório de fracassar que subsiste em nosso coração.

Todos nós subimos ao palco e usufruímos da notoriedade, mas, no fim da jornada, ouviremos os aplausos oferecidos a outras pessoas. À medida que diminuem a multidão e a ovação, precisamos entender que o movimento da plateia não representa o mover de Deus! Os papéis mudam, e os figurinos se alteram porque o palco está sobre rodas. O mundo continua a girar, e o foco se alterna de um ato para outro, mas algumas coisas permanecem as mesmas: a fraqueza dos homens, o poder de Deus e a contínua mudança no palco.

REVISÃO

1. O segredo para desfrutar cada estágio de sua vida é que, quando Deus diz: "Abra mão disso!", você precisa _____ a ele.
2. Ficamos vulneráveis à "síndrome de Saul" sempre que perdemos a flexibilidade e nos tornamos _____ e temerosos à _____.
3. Não fomos chamados para _____ com nossos filhos: fomos chamados para _____.
4. Verdadeiro ou falso: Cada estágio da vida tem diferentes vantagens e desvantagens em relação a outros estágios. _____
5. Aprenda a _____ os diversos estágios da vida em vez de _____.
6. Liste duas coisas que podemos desfrutar ao chegar à meia-idade:
   a. _____
   b. _____
7. Liste duas coisas que os homens mais velhos podem desfrutar:
   a. _____
   b. _____
8. Em um estágio mais a frente, está o sorriso do _____ que exibiremos se tivermos lidado corretamente com esse estágio.
9. Um belo conselho dado por aqueles que estão no ápice da vida é: "Viva de maneira santa, como se Jesus viesse pela manhã, mas _____ e desenvolva-se como se ele não viesse".
10. Deus quer que seu povo construa _____ e transmita _____ de geração em geração.
11. Se você ousar envolver-se com a próxima geração, sempre fará _____ do sucesso dela em vez de ficar _____ com esse sucesso.
12. A marca do homem autocentrado é que ele é melhor _____ do que investidor.
13. Verdadeiro ou falso: Qualquer pessoa que vier depois de você deve ter uma vida mais fácil do que a sua, porque pessoas abençoadas sempre deixam uma bênção. _____.

14. Você precisa ter o cuidado de amar mais aquele que atribui a você a tarefa do que a _____ em si.
15. Verdadeiro ou falso: Uma liderança de excelência nunca se esquiva de uma tarefa. _____
16. Devemos sempre estar treinando e ensinando até o dia em que sairemos do trabalho e entraremos na _____.
17. Qual é o inimigo do progresso? A _____.
18. As pessoas só se apegam a algo quando acreditam que _____ funcionará.
19. Explique a afirmação: "Dar frutos e deixar que suas folhas murchem são coisas totalmente diferentes": _____
_____.
20. Se permitirmos que os homens mais velhos criem a estratégia, lutaremos armados com a _____ dos idosos e a _____ zelosa dos jovens.

MAIS UM DESAFIO: Você tem um plano realista que considera os diferentes estágios de sua masculinidade? Busque em Deus sabedoria e graça para edificar uma fundação no ápice de sua força e produtividade, pensando no descanso em seus anos de aposentadoria. Escreva cinco ideias que o ajudarão a criar um plano que permita que você seja conduzido por Deus em vez de ser impulsionado pela necessidade. _____
_____
_____
_____
_____

Quando nos vestem com roupas que não servem

Capítulo 13

Lázaro não conseguiu soltar-se sozinho das faixas que o amarravam. Em sua vida, existem faixas das quais você também precisará que outras pessoas o libertem. Embora sua luta para sobreviver tenha terminado, a luta dessas pessoas acaba de começar. Elas podem lutar para voltar a confiar em você. Essa luta pode ser um modo de elas compreenderem as partes mais sombrias e corruptas de sua existência e ainda assim continuar amando você. Quando elas veem você sair da cova, podem sentir a tentação de o abandonarem do jeito que o encontraram!

> O morto saiu, com as mãos e os pés envolvidos em faixas de linho e o rosto envolto num pano.
> Disse-lhes Jesus: "Tirem as faixas dele e deixem-no ir". (João 11.44)

Lázaro ressuscitou dentre os mortos, mas cumprira apenas metade do caminho para a liberdade. Agora precisava esperar que seus amados, em estado de choque, ouvissem o chamado do Mestre. Lázaro estava à mercê dos enlutados. Se você foi retirado de um túmulo de fracasso ou fraqueza, continua enrolado em faixas sujas, cicatrizes recentes, emoções dissonantes e questões repulsivas que precisam ser tratadas por *outras pessoas*.

Eu e você gostaríamos de pensar que, tendo Jesus chamado uma pessoa para fora do túmulo pelo poder de sua palavra, tudo está concluído. Não está. Jesus tem ainda outra ordem, que não é dirigida ao túmulo nem à pessoa que estava no túmulo. Suas palavras são para as pessoas que amavam e lidavam com o homem nos trapos de sua morte: "*Soltem as amarras deste homem! Deixem-no viver!*".

Se você está passando por uma mudança radical ou por uma recuperação moral, tenha paciência. As próprias pessoas que o incentivaram provavelmente estão ariscas com você. Elas também foram vítimas. Quando os filhos tiveram de se condicionar a desconfiar de um pai em quem queriam desesperadamente confiar, não é fácil para eles repentinamente dar meia-volta e aproximar desse pai novamente. Eles estão com medo. Foram atingidos por problemas de gente grande. Questões que deixam confusos os adultos devastam os filhos. Seja justo com eles. Você precisa comunicar-se como nunca fez antes. Sua única esperança de cura é a comunicação honesta recheada de compaixão.

Se você acabou de passar por grandes lutas ou fracassos, enfrentará outras batalhas com as consequências ou as partículas radioativas liberadas por sua crise. Provavelmente suas lutas foram um desafio para todas as pessoas de sua família e podem ter transformado em vítimas sua esposa e seus filhos! Pecado, compulsões e orgulho podem infligir tanto sofrimento àqueles que dependem de você que, mesmo depois de você ter mudado, parece que eles não conseguem simplesmente confiar em você como confiavam antes. Uma vez quebrada a confiança, o impulso de sobrevivência faz que as pessoas tenham dificuldade em confiar de novo naqueles que as feriram.

As esposas que embarcaram numa montanha-russa para sobreviver a um caso extraconjugal ou ao vício do marido em cocaína, álcool ou jogatina normalmente se encontram em choque emocional. Elas lutaram contra o Diabo e venceram, e agora recuperaram o marido, mas infelizmente a luta pode tê-las deixado devastadas e desgastadas. Para que a cura seja completa, essas esposas precisam de tempo e oração.

Esse intervalo equivale a um "período de condicional" que pode ser visto como um insulto a um homem que usou todas as suas forças a fim de voltar para casa e encontrar uma recepção que é menor do que ele imaginava! Ele não percebe que está lidando com uma pessoa cujas esperanças foram tantas vezes pisoteadas que seus mecanismos de defesa agora protegem mecanicamente seu coração de qualquer possível fonte de sofrimento — em especial vindo do marido. Ele fica ofendido com esse puro instinto de sobrevivência, pois sente que merece um apoio mais positivo. Inevitavelmente os ânimos se exaltam, o nervosismo chega ao extremo, e os laços familiares já tensos começam a se desfazer.

Normalmente os homens esperam ser tratados de maneira compreensiva e paciente, mas não sabem agir assim! Se você enfrentou um caso extraconjugal e seu casamento está sendo reciclado, vá com calma! Houve muito dano interno, como se fosse uma hemorragia. Sua companheira pode ter sofrido um golpe em sua autoestima, e seus filhos podem estar lutando contra a dor do constrangimento. Você chegou até aqui; certamente pode ir um pouco mais longe. Basta não procurar atalhos. Essa cura requer paciência e sabedoria.

A tragédia "pós-fato" se amplifica porque não é algo esperado. Você fez as escolhas difíceis e todas as mudanças necessárias para superar o problema em favor de sua família e de si mesmo.

Certamente você terá uma grande recepção quando voltar para casa! Em vez disso, você volta para um lar cheio de tensão, e suas boas-novas de libertação só geram uma suspeita e reservada reação que o deixam totalmente confuso.

Seu "problema" original já não é o problema principal. De um jeito ou de outro você superou o desafio e retomou seu lugar de homem responsável. Agora você enfrenta os efeitos colaterais do problema original: Será que a situação pode ficar pior? Crie coragem. O mesmo Deus que deu graça para você sobreviver e reviver também o ajudará a lidar com esses efeitos colaterais. A vida está cheia de complicações, complexidades, problemas, testes, desafios e recompensas. Você é um sobrevivente. Seu destino é o triunfo.

Anos atrás era moda ensinar a igreja sobre a vestimenta adequada como sinal externo de santificação. Ensinamos cuidadosamente nossos jovens sobre o que vestir, mas nunca lidamos com os desejos por trás dessas ações. Limitamos nossa ênfase à aparência externa. Enquanto os "pacientes" ficassem sentados na cama, sorrissem e mantivessem uma declaração de fé positiva, estávamos satisfeitos. Basicamente, não estávamos interessados no fato de que, por debaixo dos lençóis, os pacientes estavam tendo hemorragias e morrendo diante de nossos olhos!

A igreja e o mundo estão repletos de "pacientes" que estão "todos vestidos, mas com hemorragia interna". Sim, essas pessoas estão dirigindo belos carros e comprando casas sofisticadas, mas ainda se dobram diante do sofrimento e da ira reprimida.

Homens recém-saídos do túmulo do fracasso normalmente são rejeitados por aqueles de quem buscaram aceitação. Assim como os decepcionados e desiludidos veteranos do Vietnã, eles sobreviveram à selva e pegaram o último helicóptero que saía de Saigon, só para voltar para casa e ficar sem teto. Beijaram o chão para descobrir que não havia nenhum lugar ao qual pudessem voltar. Para onde eles poderiam ir quando a parada terminasse, e o clarim solitário cessasse de tocar seu som lamurioso? O rufar dos tambores parou, a moça da baliza guardou seu bastão, e os veteranos da batalha tornaram-se vítimas da rejeição.

A raiva silenciosa rastejou para dentro do coração dos jovens que saíram de casa ainda meninos e voltaram velhos e frios demais para ser quem eram, incapazes de se tornar quem teriam sido. Eles ficaram presos num vácuo, assim como muitas baixas de guerra que se deram nos arrozais. Foi doloroso para todos nós. Toda vez que os homens sobrevivem a um incidente, e nunca são tratados em suas lutas residuais, todos nós acabamos sofrendo!

Muitos homens bons não resolveram questões difíceis que os traumatizaram no início da vida. Enterraram bem fundo a dor, considerando-a uma fraqueza. Nós os vemos bebendo demais, irando-se com muita rapidez, ou isolando-se em amargura silenciosa, e rapidamente os censuramos por causa dos *sintomas* de seu sofrimento secreto. Precisamos curar a *causa* da dor. O sintoma avisa o corpo de que algo está errado. Os sintomas dos pecados residuais que se agarraram à vida de nossos filhos são sinais de que "Lázaro pode ter ressuscitado, mas suas faixas definitivamente não foram desamarradas".

Alguns não aplicam anestésicos ao tratar de determinados ferimentos porque não querem camuflar os sintomas que ajudam a diagnosticar mais precisamente a causa da dor. A religião tem sido o anestésico da igreja enquanto esta esconde a causa da doença! Há uma diferença marcante entre a religião e a libertação. A igreja tem ficado satisfeita em camuflar os problemas inibindo os sintomas. Cuidado: este foi exatamente o problema com a Lei, pois ela tratava apenas dos sintomas e permitia que a aflição terminal persistisse.

Aquilo que a Lei fora incapaz de fazer por estar enfraquecida pela carne, Deus o fez, enviando seu próprio Filho, à semelhança do homem pecador, como oferta pelo pecado. (Romanos 8.3)

O problema real só pode ser tratado se os sintomas forem admitidos. A igreja parece excessivamente constrangida com os sintomas para poder lidar com o problema. Inicialmente, só os membros da congregação lutavam contra o divórcio e o segundo casamento. Agora o problema saiu dos bancos da igreja e atingiu o púlpito. A igreja falhou ao tentar legislar a moralidade usando o legalismo. Os atos pecaminosos são meros sintomas de um coração ferido ou, às vezes, não regenerado!

Infelizmente, *não ficamos à vontade com os pecados dos outros homens, só com os nossos.* Parece que negligenciamos os pecados dos mortos. Perdoamos homens como Davi, mas nos reunimos como urubus para vitimizar homens como os televangelistas caídos. Temos dois padrões: "Não é o ato que importa: é quem cometeu o ato! Se for meu filho, cito determinado trecho bíblico, mas, se for o seu, citarei um texto bem menos perdoador". Meus irmãos, isso não pode acontecer!

Como podemos condenar o aborto e depois marginalizar as mães solteiras? Como podemos condenar o divórcio e deixar de praticar a restauração de casamentos rompidos? Como podemos ministrar a viciados, homossexuais, alcoólatras ou outros comportamentos abusivos e compulsivos e deixar de nos preparar para investir as semanas, os meses ou os anos necessários a fim de desemaranhar a mortalha que impede o divino processo de reciclagem? Que benefício existe em tirar um ex-criminoso da cadeia se não lhe damos um emprego quando ele retornar à sociedade?

Admitamos: nossos homens estão presos e enredados em coisas bastante asquerosas. Quando Jesus quis ressuscitar

Lázaro, sua irmã protestou e prontamente advertiu Jesus: "Senhor, ele já cheira mal" (João 11.39). É simples: qualquer um que se envolver com um "ressuscitado" ficará pouco à vontade. O problema dele cheira mal. Mesmo depois de convertidos, esses homens com frequência ainda estão envolvidos em cativeiros e fraquezas que representam um desafio para a igreja local, a família e até mesmo para o próprio homem. Ele foi despertado da morte só para encontrar-se ainda amarrado e confuso. Para quem ele pode voltar-se? Muito frequentemente a esposa está com medo, os filhos estão inseguros e o patrão sente-se consumido e desinteressado. Precisamos desamarrar Lázaro e deixá-lo viver!

Se você está na situação de Lázaro, precisará confiar que Deus não o teria despertado se não tivesse um plano para sua vida! Ele é o autor e consumador da sua fé (Hebreus 12.2). Ele termina aquilo que começa. É o Alfa e o Ômega, o primeiro e o último, o começo e o fim (v. Apocalipse 1.8). Ele completará a obra que começou em você (Filipenses 1.6). Muitas áreas de sua vida precisarão do toque e do cuidado de Deus. Lembre-se de que, quanto maior o estrago, mais lenta será a recuperação. Pode demorar algum tempo, mas pode acontecer. Jesus diz: "Soltem as amarras deste homem, deixem-no viver!".

Se você é a esposa de um homem que passou por uma situação intensa de vício que traumatizou os dois, entendo sua dor, seu medo e sua relutância em voltar a confiar. Se você quer realmente ver a glória de Deus ressuscitá-lo completamente, precisa ser suficientemente corajosa para soltar suas amarras. O maior presente que você pode dar a seu marido, além de a *si mesma*, é a dádiva do perdão. Solte as algemas e abra espaço para a cura divina. Caso contrário, a ausência de perdão será uma prisão para vocês dois. Se você não consegue confiar em seu marido, confie em Deus. A fé madura diz: "Deus, creio que nenhum desafio será páreo para mim e para o Senhor". Esse é o tipo de fé que espanta demônios, e, se você crer dessa forma, o inferno estará encrencado!

Se você realmente quiser soltar as amarras de seu marido, isso pode significar dar-lhe permissão para voltar àquela parte de seu coração que está trancada a sete chaves! Pode significar ter de confiar nele numa área que já trouxe a você muito sofrimento. Não será fácil, mas é importante que você experimente a cura e o perdão num nível mais profundo.

Muitas mulheres esconderam tanto seu coração por causa do sofrimento que acabaram dominadas pelo problema!

O homem saiu do túmulo, mas você saiu? Se você não consegue abrir o que trancou, ainda está subjugada ao passado. É preciso ter não fé apenas na recuperação de seu marido, mas também em sua capacidade de sobreviver e na capacidade de Deus proteger você e tudo o que você estabeleceu nele!

Irmão, se sua companheira confiou o suficiente em sua libertação a ponto de soltar suas amarras, você tem a responsabilidade de proteger essa confiança com todo o coração! Nada como a confiança para fazer as pessoas manter a atitude de prestação de contas. Muitos continuam fracos porque se sentem "liberados" por alguém que se recusa a acreditar que eles podem mudar. Alguns homens acreditam que a falta de fé lhes dá permissão para continuar como estavam. Às vezes nos alimentamos das fraquezas uns dos outros. Algumas esposas precisam sentir que são necessárias, e por isso se queixam e fazem estardalhaço, pensando estar demonstrando preocupação e cuidado. Outras esposas resmungam por causa da "síndrome de mãe" e desprezam o homem como se ele fosse uma criança. Tudo isso alimenta a confusão que se perpetua numa relação de causa e efeito que não é saudável para nenhum dos lados.

PRESOS NA ARMADILHA DEBAIXO DAS FAIXAS

"Onde estão nossos homens?", é o que perguntam nossos filhos e nossa esposa. As moças solteiras fazem a mesma pergunta. Até o próprio Deus quer saber: "Adão, onde você está?".

A resposta é esta: eles estão presos na armadilha que fica debaixo da dor causada por questões não resolvidas, divórcios amargurados e decisões judiciais que os impedem de ver os filhos. Estão presos na armadilha que fica debaixo do "mito do machão" e dos símbolos vazios do sucesso mundano. Estão presos pelas drogas, presos pelo lado de dentro e sem nada no lado de fora. Estão presos no calabouço da falta de perdão, pois não existe ninguém para libertá-los, e eles não têm força para se libertarem sozinhos. São os próximos pastores, poetas, artistas e candidatos a presidente. Mas nunca ouviremos sua mensagem, não ouviremos suas músicas, nem nos beneficiaremos com sua liderança, pois não temos coragem de soltar suas amarras e deixá-los viver!

> Para ouvir as novas baladas, ou admirar a mais recente pintura, precisamos livrá-los das amarras. Para sentir seus braços em volta de nossos filhos e ouvir sua voz de tenor nos corais, é bom arranjarmos uma tesoura e cortar as faixas que os prendem! Satanás treme com o ruído crescente que ouço em meus ouvidos, o som de faixas sendo cortadas. Como lagartas saídas do casulo, homens estão saindo do esconderijo em todo o país! Alguns foram libertados das drogas, e outros, da dor. Existe um tumulto, uma revolução: homens de todo o território nacional, de norte a sul, estão saindo dos casulos! São negros e brancos, ricos e pobres, estudados e analfabetos, e cada um tem seu próprio tipo de faixa da qual se livrar.

São os "Houdinis"³ de nossa geração: a mágica deles é a mágica da sobrevivência. Foram considerados mortos, mas sobreviveram. Eles estão saindo dos esconderijos e se recusam a viver em casulos.

Este é o dia do *homem de muitas cores*. Sou um homem arco-íris, um sinal da promessa de Deus! Sou negro, sou branco, sou vermelho, sou pardo. Sou negro o suficiente para fazer parte dos *clubs*, para viver em sua vizinhança e para morrer com um diploma nas mãos. Sou vermelho o suficiente para sair da reserva indígena e entrar a cavalo no *campus* da universidade. E sou pardo o suficiente para transformar meu *green card*⁴ num cartão de crédito, ensinando meus filhos a comprar um jardim em vez de simplesmente trabalhar nele. Sou todos os homens feitos de barro, pois fui feito de barro e preenchido com sangue. O inferno me insulta, e Deus me salva. Não sou estranho nem esquisito, peculiar nem diferente; sou o mesmo barro, só que um barro com um tom diferente. Sou um homem igualzinho a você, só que com outro matiz.

> "Ninguém acende uma candeia e a coloca debaixo de uma vasilha. Ao contrário, coloca-a no lugar apropriado, e assim ilumina a todos os que estão na casa." (Mateus 5.15)

Satanás odeia os *homens de muitas cores* porque fomos criados à imagem e semelhança de Deus, e nosso espírito é a "candeia do Senhor". Nós iluminamos os lugares escuros. Onde existem águas intransponíveis, construímos pontes. Onde há guerra, assinamos tratados. Onde há tragédias, enviamos medicamentos.

---

³ Considerado o maior mágico ilusionista do mundo, fazia números em que se libertava de algemas, correntes e cadeados, mesmo preso dentro de caixas ou tanques d'água fechados. [N. do R.]

⁴ Licença para trabalhar nos Estados Unidos. [N. do R.]

Como os homens podem trabalhar para curar enfermidades, frear pestes e subjugar nações... e depois morrer atrás dos muros de suas próprias limitações? Isso não pode acontecer. É preciso que não aconteça. Jesus disse que não fomos criados para ficar escondidos, mas para sermos vistos. Está na hora de soltar as amarras desses homens e deixá-los viver!

Sempre que vejo um prisioneiro numa cela lendo um poema, sempre que vejo um viciado pintando uma casa ou construindo um teto para os desabrigados, sei que estou vendo o que poderia e o que deveria ter acontecido. Nos olhos do mais rígido racista, captei um relance de profundo arrependimento. O que aconteceu conosco? Por que permitimos que as faixas sobrevivam, mas depois deixamos o homem por baixo delas morrer? Precisamos acordar de manhã gritando! Está na hora de nós, homens, sermos despertados de nosso sono. Não estamos mortos! Estamos vivos!

Podemos estar sangrando, mas estamos vivos. Talvez tenhamos de alcançar nossos filhos com braços compridos para diminuir a distância existente entre nós; talvez tenhamos de enxugar nossas próprias lágrimas ou cantar para nós mesmos à luz da manhã. Não importa o que seja necessário, deixe que o registro mostre *um Lázaro que não está morto*. Ele tem problemas e dificuldades, e ainda mais lutas e testes pela frente, mas definitivamente não está morto!

Irmãs, vocês têm orado por nós, e nós agradecemos, mas estamos de volta. Estávamos no inferno e cheiramos fumaça. Somos fortes e fracos; certos e errados; masculinos e femininos. Somos dominantes e passivos. Somos Clark Kent e super-homem; somos um toque de todas as coisas. Somos muitas cores.

Já não nos sobrou imagem a proteger. Decepcionamos a nós mesmos, nossos amigos e nossa família, mas já não sentimos vergonha. Nossa gratidão é grande demais para ficarmos constrangidos. Deveríamos ter morrido, mas, como Lázaro, a vida nos foi devolvida como um favor, um presente divino. Mais uma vez, o Senhor deu a dádiva da vida a homens que estavam mortos. Nunca mais poderemos ser o homem que fomos! Somos transformados constantemente, e nossa cor mudará diante de seus olhos. Com diversos matizes e tons, há um novo homem no homem velho. Existe um letramento divino no analfabeto, e uma ignorância santa no inteligente, pois temos diversas cores.

Falo com meus pais, irmãos e amigos. Falo com o *homem de muitas cores*, cujos diversos matizes decoraram os lugares escuros e acrescentaram variação ao mundo. Não existe nada que possa detê-lo! Não existe escravidão tão forte, nem tragédia tão esmagadora, da qual você não possa livrar-se e prosseguir!

SALTE PARA FORA!

Sempre imaginei Lázaro *saltando* para fora do túmulo. Quando ele ouviu o chamado do Senhor, estava amarrado demais para andar e decidido demais para ficar!

Desafio os homens de todos os cantos do país a assumir o mesmo compromisso: nossos papéis estão mudando, estamos sempre sendo desafiados em termos econômicos, emocionais, sociais e até mesmo conjugais. Para sobreviver, precisamos ter a capacidade de ouvir Deus quando ele nos chama e de saltar quando o ouvirmos. Saltar é o que fazem os homens que estão incapacitados demais para andar, mas decididos demais para continuar no túmulo!

Deus busca homens radicais que se movam repentinamente quando sua liberdade estiver em perigo. A sociedade não consegue segurar um homem que se move aos saltos. Nem divórcio, nem drogas, nem crises financeiras conseguem segurar um saltador. Os saltadores simplesmente continuam saltando. Esses homens não permitem que sua incapacidade restrinja sua reação diante de Deus.

Se você não está morto, então não se finja de morto. O inimigo quer que você se dobre para preservar sua vida e quer que você se faça de morto. Mas eu ordeno, em nome de Jesus, aquele que racha a sepultura ao meio, causa tremores de terra e deve voltar com um grito: *"Salte para fora!"*.

Este não é um dia para homens lastimosos, que ficam choramingando, fracos, desmunhecados, emasculados. É um dia para homens saltadores, puladores, alegres e desembaraçados! Salte para fora! Deus tem um plano para você. *Você não pode andar sinuosamente dentro do mover de Deus. Quando ouvi-lo chamando, faça o que Lázaro fez!* "Preparado ou não, cheirando mal ou não, vestido ou não, aqui vou eu!"

Os túmulos são projetados para homens que não voltarão, e o túmulo de Lázaro representa uma área de sua vida na qual você foi enterrado pelas pessoas que o cercam e desistiram de ver sua recuperação. Às vezes elas enterram você nesses túmulos quando se convencem de que você não voltará, ou quando não suportam a montanha-russa necessária a sua recuperação. Se você quer retornar, precisa sair dentre os mortos e sair dos lugares de morte. Todos os que amam você pegarão carona, queiram ou não. A diferença é que a decisão deles não cria essa movimentação, mas eles pegam carona mesmo assim!

O túmulo promete alívio às pessoas porque elimina a dor das expectativas frustradas e da decepção da traição que acompanha as promessas não cumpridas. Você e eu podemos entender o sofrimento delas, mas é importante que você acredite em si mesmo. Para você ressuscitar da morte nesta vida, seus pés precisam saltar! Lázaro sabia que, para ressuscitar, ele precisava sair-se bem naquele momento. Embora suas irmãs achassem que o irmão nunca voltaria, ele teve de acreditar por si mesmo antes de poder agir de maneira decisiva.

LIBERAÇÃO CONCEDIDA! APOIO NEGADO!

Você percebe que não somos curados com a mesma velocidade? Cada pessoa em crise precisa passar por seu próprio processo de recuperação. Você pode curar-se, mas isso não significa que sua esposa, seus filhos, seu patrão e seu pais também serão curados. Talvez esteja na hora de você demonstrar a mesma paciência que eles demonstraram com você. Apesar de desejar muito apoio das pessoas, lembre-se de que a coisa mais importante que você pode fazer nessa parte prática do processo é dar apoio e incentivo a si mesmo!

Normalmente os casamentos desmoronam ao final de grandes provações, mesmo quando o estresse acabou e os parceiros sobreviveram à crise. Quando as coisas começam a se ajeitar, um deles diz: "Desisto!". Por quê? É difícil e exaustivo "suportar uma pessoa em crise". Talvez não tenha restado a essas "outras vítimas" resistência para aproveitar os despojos!

A história de Davi e Bate-Seba se parece com um diabólico seriado de tevê. O relacionamento entre eles começou com volúpia e assassinato. A paixão levou ao assassinato de Urias, marido de Bate-Seba, e deu origem a uma gravidez ilegítima. Quando acabou a excitação das tórridas convulsões de seus encontros lascivos e se instalou a realidade, Davi se lembrou de seu Deus e iniciou um doloroso processo de arrependimento para superar a desgraça e a vergonha de viver de maneira tão extremada.

Davi prostrou-se diante de Deus vestido de sacos e coberto de cinzas durante sete dias, buscando desesperadamente a purificação de seus pecados e a cura para o bebê que repentinamente adoecera. Quando a criança morreu a despeito das orações de Davi, o rei ficou devastado, mas aceitou o fato como todos os homens acabam por aceitar; era algo que ele não podia mudar. Davi lavou o rosto, ungiu-se e dirigiu-se à casa do Senhor. Davi superou a tragédia.

Bate-Seba também se cobriu de luto pela perda do filho, mas sua recuperação não foi instantânea. Davi teve de consolá-la. Se você encontrar pessoas que não têm a mesma resiliência que a sua diante das mudanças repentinas da vida, lembre-se de consolar em vez de criticar. É uma maneira sutil de reconhecer o direito que elas têm de se sentirem feridas, e, na maior parte do tempo, isso é tudo aquilo de que as pessoas feridas precisam.

> Davi, percebendo que seus conselheiros cochichavam entre si, compreendeu que a criança estava morta e perguntou: "A criança morreu?"
> "Sim, morreu", responderam eles.
> Então Davi levantou-se do chão, lavou-se, perfumou-se e trocou de roupa. Depois entrou no santuário do Senhor e o adorou. E, voltando ao palácio, pediu que lhe preparassem uma refeição e comeu.
> Seus conselheiros lhe perguntaram: "Por que ages assim? Enquanto a criança estava viva, jejuaste e choraste; mas, agora que a criança está morta, te levantas e comes!"
> Ele respondeu: "Enquanto a criança ainda estava viva, jejuei e chorei. Eu pensava: Quem sabe? Talvez o Senhor tenha misericórdia de mim e deixe a criança viver. Mas agora que ela morreu, por que deveria jejuar? Poderia eu trazê-la de volta à vida? Eu irei até ela, mas ela não voltará para mim".
> Depois Davi consolou sua mulher Bate-Seba e deitou-se com ela, e ela teve um menino, a quem Davi deu o nome de Salomão. O Senhor o amou.
> (2Samuel 12.19-24)

A despeito dos desafios enfrentados, Davi e Bate-Seba sobreviveram. Talvez isso não tivesse acontecido se Davi não houvesse consolado Bate-Seba, mas ele percebeu que a esposa não se recuperaria na mesma velocidade.

Infelizmente, algumas pessoas talvez nunca se recuperem dos fracassos que você provocou e insistam em jogar seu passado contra você pelo resto da vida. O que fazer nesses casos? É preciso perdoar, esquecer e continuar a vida, mesmo que alguém se oponha a seu direito de prosseguir e abertamente demonstre aversão a seu lugar neste planeta!

Costumo dizer às pessoas: "Gostar de mim é uma opção, mas me respeitar é uma obrigação! Se você não gosta de mim, ainda assim precisa me respeitar porque *sou um sobrevivente!*". Sempre que você se vir numa armadilha por causa da opinião de outras pessoas, reserve-se o direito de recusar a mortalha que prepararam para você e siga em frente com sua vida!

Se você não trocar esses trapos velhos de morte, eles o levarão de volta para a vala de onde você acabou de sair. Os restos da questão que já morreu ainda podem gerar problemas para muitos homens.

Por exemplo, o drogado não é viciado apenas nas drogas, mas também em um sistema econômico e social que montou para seu estilo de vida. Ele se libertou do vício químico, mas continua envolvido com os amigos de vício que perdeu, com a renda proveniente das drogas e com o respeito conquistado entre os colegas. Essas coisas não são problema; o vício das drogas foi resolvido. Essas coisas são a "mortalha" que acompanha o problema do vício.

O executivo não abandonou apenas seus problemas com a bebida: perdeu também o ambiente no qual conduzia seus negócios. Agora ele precisa aprender a discutir negócios de outra maneira, sem contar com um drinque. Ele comemorava a assinatura de um contrato com bebida; entretinha potenciais clientes com bebida. Usava a bebida como uma ferramenta de sedução. O álcool acabava com suas inibições, libertava-o de sua postura "formado nas melhores universidades" e permitia que ele desabotoasse o colarinho e se sentisse humano. Agora ele está perdido; todo o seu sistema sociológico estava associado ao problema da bebida.

O adúltero não se enreda apenas por um caso extraconjugal; fica atraído pelo "jogo". Ele se excita com a aventura que faísca com o "medo de ser pego" durante seus momentos roubados. O planejamento e as mentiras elaboradas tornaram-se um estilo de vida. No final ele larga a amante, mas ela não era seu único vício; a aventura acabou. Ele volta à normalidade, e a normalidade pode ser entediante para uma pessoa acostumada à alta voltagem do ilícito.

Deixe sua mortalha na sepultura! Essas vestes pegajosas podem ser tão difíceis de superar quanto a coisa morta que as produziu, mas você precisa livrar-se delas para voltar à sanidade mental. Esse é o milagre da salvação que traz imensa alegria ao cristão. *Mudar o coração reaviva aquele que estava entre os mortos, mas a renovação da mente é a remoção da mortalha.* Tire-a de sua mente e de sua vida. É trágico quando algo dominou sua vida a ponto de definir sua empolgação e seu valor pessoal.

DEUS TEM UM PROVADOR DE ROUPAS

Lembre-se: você sempre tem o direito de mudar se as roupas que usa foram feitas para *quem você era*, não para *quem você é*. As épocas mudam, o clima muda e o vento muda tanto em direção quanto em velocidade. Defenda seu direito de mudar com toda a diligência. Se Deus deu a você o direito de fugir da sepultura, pode conceder também a graça de mudar suas vestes!

> Ora, Josué, vestido de roupas impuras, estava em pé diante do anjo. O anjo disse aos que estavam diante dele: "Tirem as roupas impuras dele".

Depois disse a Josué: "Veja, eu tirei de você o seu pecado, e coloquei vestes nobres sobre você". (Zacarias 3.3,4)

Já se disse que a roupa não faz o homem. Não sei se isso é verdade, mas sei que *os homens de fato trocam de roupa*. Eles podem entrar no provador de roupas de um jeito e sair de lá de outro. Graças a Deus pelos filhos pródigos que nos ensinam que o pai aprontará roupas novas para o filho que fracassou! São as vestes do Pai que queremos, não aquilo que outras pessoas querem que sejamos ou vistamos. Queremos estar vestidos com a justiça de Deus.

Eu o desafio a orar pelo tremendo mover de Deus que espera do outro lado da "mudança". Josué, o sumo sacerdote, trocou de roupa enquanto estava cercado de anjos. Lázaro despiu-se diante de sua família. Os saduceus nem sequer acreditaram naquilo que Deus tinha feito na vida dele. O cego Bartimeu largou sua capa pela estrada. Ele sabia que não precisaria mais dela (v. Marcos 10.46-52). Seja lá do que você precise livrar-se, livre-se disso, sem se importar com quem vá testemunhar sua libertação. Não permita que outras pessoas determinem como você se vê. As roupas que elas prepararam para você refletem o ponto em que você estava naquela época. Graças a Deus, elas não servem para o ponto em que você está agora, nem para onde você está indo.

Oro para que Deus dê a você a graça de descobrir as novas vestes que ele preparou. Despido de todos os seus sistemas — sociais, econômicos e psicológicos —, você percebe a necessidade de conhecer seu "novo eu". Você passará pelo ajuste que todos os homens enfrentam uma hora ou outra. Espero que Deus veja alegria em você durante esse processo. Os homens mais sábios são aqueles que reconhecem necessitar de uma mudança e têm a coragem de enfrentar as incertezas dos novos começos profundamente comprometidos com o sucesso!

REVISÃO

1. Mesmo depois de levantar de um túmulo de fracasso ou fraqueza, você ainda está enrolado em faixas sujas, cicatrizes recentes, emoções dissonantes e questões repulsivas que precisam ser tratadas por ____
   _____
   _____.
2. O que Jesus mandou as pessoas que amavam Lázaro fazer? _____
   _____
   _____.
3. Se você já passou por uma mudança radical ou por uma recuperação moral, precisa ser _____ com sua família.
4. Uma vez quebrada a confiança, o impulso de sobrevivência faz que as pessoas tenham dificuldade em _____ de novo naqueles que as feriram.
5. Para se curar completamente, uma esposa precisa de _____ e _____.
6. O "período de condicional" pode ser visto como um _____ a um homem que usou todas as suas forças a fim de superar um problema e voltar para casa.
7. O mesmo Deus que concedeu a você _____ para sobreviver e reviver também o ajudará a lidar com os efeitos _____ de seu problema original.
8. Os sintomas dos pecados residuais que se agarraram em nossa vida são sinais de que "Lázaro pode ter _____, mas suas faixas definitivamente não foram _____".
9. Se você está na posição de Lázaro, precisará confiar que Deus não o teria _____ do sono se não tivesse um _____ para sua vida.
10. Como Lázaro, para sobreviver, precisamos ter a capacidade de _____ Deus quando ele nos chama e de _____ quando o ouvirmos.
11. Verdadeiro ou falso: Deus busca homens radicais que se movam repentinamente quando sua liberdade estiver em perigo.
    _____

12. O túmulo de Lázaro representa uma área de sua vida na qual você foi _____ pelas pessoas que o cercam e desistiram de ver sua _____.
13. Verdadeiro ou falso: Aqueles a quem você ama precisam suportar a montanha-russa necessária a sua recuperação, queiram ou não. A diferença é que as decisões deles não cria essa movimentação. _____
14. Verdadeiro ou falso: A recuperação só será possível se as pessoas acreditarem em você. _____
15. Verdadeiro ou falso: Você precisa acreditar em si mesmo, pois, para ressuscitar da morte para a vida, seus pés precisam saltar. _____
16. Apesar de desejar muito o apoio das pessoas, lembre-se de que a coisa mais importante que pode fazer nessa parte prática do processo é dar _____ e _____ a si mesmo.
17. Com frequência os casamentos entram em colapso exatamente quando começam a melhorar: um dos parceiros simplesmente diz: "Desisto!". Em sua opinião, por que isso acontece? _____.
18. Se você encontrar pessoas que não têm a mesma resiliência que a sua diante das mudanças repentinas na vida, lembre-se de _____ em vez de _____.
19. Verdadeiro ou falso: Na maior parte do tempo, tudo o que as pessoas feridas e em sofrimento precisam é do reconhecimento de seu direito de sofrer. _____
20. Sempre que você se vir numa armadilha por causa da opinião de outras pessoas, reserve-se o direito de _____ a mortalha que prepararam para você, e _____ em frente com sua vida!
21. Dê um exemplo de como alguns "trapos velhos" podem levar um homem mudado de volta para a mesma vala de onde ele acabou de sair: _____.
22. Mudar o coração reaviva aquele que estava entre os mortos, mas a _____ da mente é a remoção da mortalha.
23. Verdadeiro ou falso: Se Deus deu a você o direito de fugir da sepultura, pode conceder também a graça de mudar suas vestes. _____

MAIS UM DESAFIO: Se você já foi libertado de um hábito pecaminoso ou viciante, já examinou sua mortalha? Existe alguma parte de seu antigo estilo de vida que ainda está preso a você? Se for este o caso, registre isso por escrito. O que você precisa fazer para libertar-se dessas influências para voltar à sanidade mental? _____
_____
_____
_____
_____
_____.

Se cair, caia de joelhos!

Capítulo 14

> Quero, pois, que os homens orem em todo lugar, levantando mãos santas, sem ira e sem discussões. (1Timóteo 2.8)

Muitos homens cristãos oram como fracos e gabam-se com a confiança de guerreiros. O fato é que os verdadeiros guerreiros espirituais são homens que oram. A oração é o recurso mais ignorado e subutilizado do Reino de Deus. É uma arma secreta que Satanás escondeu dos homens.

A oração pode ser um desafio especial para os homens por causa da tendência que eles têm à comunicação não verbal. A oração requer que expressemos nossas necessidades, articulemos nossas dores e descrevamos nossos desejos. Nós, homens, evitamos verbalizar nossos desejos porque tememos ficar decepcionados. Achamos que, enquanto não reconhecermos uma necessidade ou um desejo, podemos livrar-nos da decepção. Dizemos: "Bem, eu nem queria tanto isso". A oração nos faz confessar o desejo.

Quando Deus nos criou a sua semelhança, plantou em nossa natureza a necessidade de sermos admirados. Nós florescemos quando somos elogiados. Um dos segredos mais bem guardados sobre nós, homens, é quanto gostamos de ser elogiados. Nosso Criador adora ser elogiado e ele reage àquele que o elogia. Nós, homens, brilhamos quando somos elogiados por nossa esposa, nossos pais, nossos chefes ou técnicos, e gravitamos à volta dessas pessoas em busca de mais elogios. Adoramos expressões afirmativas que sugiram estarmos indo bem.

Como patrão, fiquei chocado ao descobrir que muitos homens reagem melhor a elogios do que a aumentos ou a outras recompensas não verbais. Toda vez que eu reconhecia um trabalho bem realizado com um comentário pessoal, era em troca recompensado com um sorriso imediato e uma avidez por receber mais elogios!

Por outro lado, sendo pastor percebi que quase todos os homens que me procuram para aconselhamento conjugal trazem à tona as seguintes palavras em relação à esposa: "Pastor, ela só resmunga, reclama de mim o tempo inteiro. Não importa o que eu faça, parece que nunca consigo agradá-la". Essas queixas são tão sérias que os homens estão prontos a acabar o casamento em frustração.

A oração é um desafio para pessoas que necessitam de afirmação pública. Aqueles que elogiam os homens não se empolgam com os guerreiros de oração. Essas pessoas adoram os grandes pregadores, mas não reconhecem os grandes homens de oração. Meu amigo, esta questão não deveria ter importância. É mais importante acionar Deus que acionar os homens. Os grandes homens de oração só surgem depois de se livrarem das cerimônias de reconhecimento feitas pelas pessoas. A oração profunda não pode ser feita em público, pois se refere a questões pessoais que não devem ser ouvidas por outras pessoas.

O SENHOR, contudo, disse a Samuel: "Não considere sua aparência nem sua altura, pois eu o rejeitei. O SENHOR não vê como o homem: o homem vê a aparência, mas o SENHOR vê o coração". (1Samuel 16.7)

Não evite a oração por achar que você não é articulado nem expressivo. Deus não se comove com vocabulário rico, enunciados elaborados ou boa articulação. Ele só se comove com os anseios sinceros de um coração aberto que "derrama" os fardos diários no altar, desnudando toda a dor diante do poder de um Deus que pode! "Pode o quê?" Pode fazer qualquer coisa para a qual sua fé seja suficiente, e qualquer coisa que você tenha coragem de suplicar!

As palavras atabalhoadas de um coração manchado de lágrimas soam mais alto no mundo espiritual do que a voz mais refinada de um orador cujo alcance e expansão vocais tenham sido ensaiados para tocar os ouvidos dos homens. Quando oramos pelas verdadeiras questões da vida, nossa preocupação não é que outras pessoas nos ouçam, mas que nós possamos ouvir Deus.

ORE COM PAIXÃO

Precisamos desesperadamente nos achegar a Deus com as questões vitais que nos atormentam! Normalmente não são coisas que divulgamos com um megafone. Costumam ser questões íntimas demais até mesmo para nossa esposa e nossos filhos. Você ouve barulho de moagem? É o som de lemes enferrujados sendo aprumados por orações fervorosas de homens que recusam perder-se no caminho porque depararam com ventos e ataques de ondas contrárias!

Nossa maior tragédia é que *deixamos a oração para as mulheres e os intercessores* enquanto tratávamos de "outras áreas de interesse". Mais tarde, esses interesses nos esgotaram, e passamos a questionar o porquê de nos sentirmos tão exauridos. O que esperávamos? Já que abandonamos o recinto da oração, tudo "sai" e nada "retorna". A oração repõe aquilo que a vida consumiu. Não é algo religioso nem ensaiado. As orações verdadeiras são apelos espontâneos de homens cheios de fé a um Deus poderoso que ouve e responde.

Minha fé não está na capacidade que tenho de falar: está na misteriosa capacidade de Deus ouvir-me e entender cada oração que faço. Ele já sabe o que estou tentando dizer, mesmo quando tateio no escuro em meio a minha incapacidade de encontrar as palavras certas. A oração é um ato espiritual, e minha comunicação está facilitada pelo fato de eu conhecer sua imensa capacidade de compreensão.

O compositor do hino disse, com muita propriedade, algo do tipo: "Em tempos de angústia e pesar, minh'alma sempre encontra alívio, sempre escapa do laço do tentador, ao voltar para minha doce hora de oração". Meus irmãos, *se não conseguirmos aprender a arte terapêutica da oração, teremos o horrível vício da preocupação!* Se não aprendermos a nos ajoelhar em oração, permaneceremos na frustração. Nosso discurso grosseiro e nossa fúria não passam de sinais reveladores de quanto tempo já faz que não oramos com fervor! A oração verdadeira não é autoritária, dominadora nem manipuladora. A oração verdadeira leva homens dominadores a um lugar de submissão.

A oração é uma confissão de que ainda somos homens limitados, e com essa confissão vem o mesmo alívio que a mulher encontra nos braços de um homem forte. Não, não é fraqueza. É o privilégio maravilhoso de entregar nossa humanidade a uma autoridade superior.

Muitos dos homens que tentaram prosseguir com a farsa da independência rebelde para com Deus estão prestes a entrar em colapso porque suas forças estão acabando. Todos ao redor jogam suas cargas negativas sobre eles, e eles não têm onde descartá-las.

Por baixo da fachada religiosa, a maioria dos homens está esmagada e estressada. Muitos estão secretamente deprimidos e desiludidos. Eles se transformaram em seus próprios deuses, por isso assumem a responsabilidade pelas consequências de seus próprios problemas. Homens de oração sabem que não são soberanos e, por isso, enquanto fazem suas orações, aliviam alegremente o estresse e confessam sua dependência do Deus que pode!

A oração é um elogio a Deus. É admitir que acreditamos em sua competência para lidar com nossos problemas.

DEUS É CAPAZ

No plano natural, nunca pedimos a uma pessoa algo que, em nossa opinião, ela não possui. Se pedimos, é porque acreditamos que essa pessoa é capaz de dar aquilo que solicitamos. Deus é lisonjeado e santificado quando oramos. A cirurgia que deixa você apavorado está nas mãos do Senhor. Ele tem total capacidade de intervir em tudo o que você ou sua família enfrentará, mas você precisa aprender a pedir!

> Assim, daquele homem já sem vitalidade originaram-se descendentes tão numerosos como as estrelas dos céus e tão incontáveis como a areia da praia do mar. (Hebreus 11.12)

Você pode discutir tudo com Deus, da impotência sexual à sensação de vazio. Ele curou Abraão da impotência quando o corpo do patriarca "já não tinha vitalidade". Deus o curou sem lutas, usando uma promessa que agitou seu coração e reavivou seu corpo. O milagre de Deus foi tão poderoso que, mesmo depois de Abraão ter gerado Isaque, os efeitos permaneceram quando Sara morreu! Abraão casou-se novamente e gerou outra família inteira! Seu corpo se enfraquecera, mas não sua fé. Ele estava velho, mas ainda tinha visão e esperança.

Muitos homens param de viver quando envelhecem. Perdem a vida e a potência, e o brilho escapa de seus olhos. Às vezes a amargura se arrasta para dentro do coração deles, ou eles simplesmente ficam entediados e indiferentes. Na verdade, não existe nada de errado em termos médicos, eles só perderam o interesse pela vida. Secretamente deprimidos, escondem a morte interior debaixo do trabalho, dos negócios e de outras distrações. Sentem os movimentos, mas a empolgação some. Não conseguem lembrar quando perderam a animação, mas se aposentaram da vida. Apagou-se a chama de suas emoções, seus impulsos sexuais ou mesmo de seu espírito. Restou apenas a casca. O coração pulsa e respira, enganando as ferramentas clínicas dos médicos.

O livro de Provérbios tem um diagnóstico preciso: "O espírito do homem o sustenta na doença, mas o espírito deprimido, quem o levantará?" (Provérbios 18.14). O entusiasmo desse homem pela vida foi abatido pelo estresse e pela sensação de vazio, frustração e solidão.

Se você quer reavivar sua paixão, empolgação e intensidade, precisa orar pedindo um reavivamento. Não, não estou falando do tipo de "reavivamento" que não passa de uma simples data no calendário ou uma reunião na igreja. Você diz: "Mas não posso conversar com Deus sobre isso!". Você pode conversar com Deus sobre *qualquer assunto*. Na Bíblia, até mesmo os *homens idosos* continuaram vivendo, provocando e sentindo paixões! Agiram assim porque eram homens de oração. A oração aumenta a paixão. É uma expectativa que faz o coração dizer todos os dias: "Hoje algo vai acontecer comigo, ou vou fazer algo acontecer!".

Isaque levou Rebeca para a tenda de sua mãe Sara; fez dela sua mulher, e a amou; assim Isaque foi consolado após a morte de sua mãe.
Abraão casou-se com outra mulher, chamada Quetura. Ela lhe deu os seguintes filhos: Zinrã, Jocsã, Medã, Midiã, Isbaque e Suá. (Gênesis 24.67—25.2)

Seis outros filhos estavam guardados no "corpo sem vitalidade" de Abraão. Deus o reavivou e o trouxe de volta à vida. É isso o que Deus quer: homens fervorosos. Sim, sentiremos a dor e passaremos pela perda da força, da juventude e de pessoas amadas, mas, pela graça de Deus, não perderemos a vida nem a vitalidade.

Se você não está morto, então viva! "A oração de um justo é poderosa e eficaz!" (Tiago 5.16). Se a oração de um homem impotente pode gerar uma nação inteira de descendentes, saiba que a oração que você faz enquanto sente um vazio interior gerará um mundo de abundância e alegria!

O espírito da depressão e do vazio se alimenta da fadiga. Você não pode assumir a responsabilidade pelas decisões de outras pessoas. A verdade é que você está desgastado com sua autoentronização. Sempre que você gastar tempo preocupando-se com coisas que não pode mudar, estará deixando de desfrutar a dádiva da vida. Você precisa parar de "bancar Deus". Você está esgotado por causa de sua natureza divina que diz: "Eu me viro sozinho". Entregue a Deus sua vida, sua família e seu futuro. Faça isso em oração e ofereça louvores ao Senhor. Ele é capaz de tirar esse fardo de seus ombros e dar-lhe poder sobre o inimigo que o prende. Não importa o que ou quem é seu inimigo, só a resposta importa. A oração é melhor do que qualquer aconselhamento ou terapia. A oração muda vidas.

O SACERDOTE DE SUA CASA

A maioria das coisas que nos fazem buscar aconselhamento se situa em áreas que carecem de oração. Éramos pessoas de oração, mas agora buscamos a voz de um conselheiro em vez da voz do Conselheiro. Voltamos ao Egito. Queremos que sacerdotes-conselheiros ouçam Deus em nosso lugar por acharmos que não ouviremos essa voz. Nós mesmos precisamos conhecer Deus! Precisamos de homens que orem.

Dentro de sua casa, você é o sacerdote na nova aliança! (Eu não disse *chefe*; disse *sacerdote*). Você precisa ensinar seus filhos sobre o Pai que eles encontram em Deus. Eles aprenderão quando virem que você dobra seus joelhos diante do Senhor. A maior mensagem que você pode transmitir a seu filho é a mensagem que ele vê, não a que ele ouve. A oração de vida de Noé no papel de pai salvou toda a sua família quando Deus o avisou do grande dilúvio.

> Pela fé Noé, quando avisado a respeito de coisas que ainda não se viam, movido por santo temor, construiu uma arca para salvar sua família. Por meio da fé ele condenou o mundo e tornou-se herdeiro da justiça que é segundo a fé. (Hebreus 11.7)

Você está suficientemente perto de Deus para ouvir seus avisos sobre perigos iminentes? Está suficientemente próximo de sua família para que eles tenham confiança naquilo que Deus disse a você? Não é possível obrigar as pessoas a acreditarem em você. O respeito não pode ser arrancado ou herdado; precisa ser conquistado. Você pode adquirir respeito tornando-se um homem de oração. Você pode literalmente mudar a direção de toda a sua família — sem brigas nem discussões — simplesmente por meio da boa e velha oração!

Sua família precisa ficar protegida debaixo da cobertura de sua vida de oração paternal. Não é de admirar a exclamação do discípulo de Jesus: "Senhor, ensina-nos a orar!" O homem não pediu que o Senhor os ensinasse "como" orar: ele queria aprender "a" orar. O porquê e a premência da oração são mais importantes do que seus mecanismos.

> Certo dia Jesus estava orando em determinado lugar. Tendo terminado, um dos seus discípulos lhe disse: "Senhor, ensina-nos a orar, como João ensinou aos discípulos dele". (Lucas 11.1)

Estamos emocionalmente sobrecarregados e espiritualmente esgotados porque não aprendemos o poder que a oração tem. A falta de oração nos torna carnais e mundanos, e cegamente tomamos decisões nos negócios, no ministério e no casamento sem orientação nem revelação. Nunca podemos preparar uma arca a tempo sem um aviso de Deus. Somos atingidos pelo granizo porque não buscamos a orientação do Senhor. A fraqueza humana nunca deve impedir-nos de orar. Na verdade, oramos com mais intensidade quando assumimos o compromisso de parar de fugir *de* Deus e começamos a correr *na direção* dele!

A falta epidêmica de oração fez aumentar o estresse, a hipertensão e as aflições. Teimosamente insistimos em carregar sozinhos nossa cruz! Por que maridos irritados jogam sua ira sobre sua família inocente? Se nos humilharmos e orarmos, Deus promete curar as coisas que nos deixam enraivecidos! A raiva e a ira não curam nada nem ninguém. Homem de Deus, *eu o desafio a ajoelhar-se e orar*! Não peça que Deus conserte sua família: peça que ele conserte você, e ele curará a terra.

> "Se o meu povo, que se chama pelo meu nome, se humilhar e orar, buscar a minha face e se afastar dos seus

> maus caminhos, dos céus o ouvirei, perdoarei o seu pecado e curarei a sua terra. De hoje em diante os meus olhos estarão abertos e os meus ouvidos atentos às orações feitas neste lugar. Escolhi e consagrei este templo para que o meu nome esteja nele para sempre. Meus olhos e meu coração nele sempre estarão." (2Crônicas 7.14-16)

Deus prometeu curar a terra em resposta à oração. Ele prometeu curar a terra, as situações e as coisas relacionadas ao homem que ora. Nesta passagem, o Senhor respondeu especificamente às preocupações de Salomão sobre as coisas que estavam além de seu poder e autoridade como rei terreno. Deus deixou claro que absolutamente nada está além de sua autoridade e de seu poder divinos!

BUSQUE AVIDAMENTE DEUS EM ORAÇÃO

> "E se você andar segundo a minha vontade, como fez seu pai Davi, e fizer tudo o que eu lhe ordeno, obedecendo aos meus decretos e às minhas leis, firmarei o seu trono, conforme a aliança que fiz com Davi, seu pai, quando eu lhe disse: Você nunca deixará de ter um descendente para governar Israel." (2Crônicas 7.17,18)

Deus ensinou Salomão sobre o valor de ser um homem de oração e, ao mesmo tempo, falou com ele sobre moralidade e caráter.

Deus gostaria de conversar com você a respeito da sua maneira de viver? É possível que Deus queira liberar outro nível de bênção para você, mas não o faz porque seu andar com ele carece de oração? Talvez você lute mais contra a procrastinação e o "estado de ocupação" do que cerre fileiras contra o pecado. Você está tão esgotado pela busca ávida por coisas que não consegue buscar Deus com avidez? Talvez você esteja tão ciente de seus problemas e de si mesmo que não esteja ciente de Deus. Você permite que a glória sempre presente de Deus se manifeste em sua vida? Você vive como se ele não existisse? Que Deus o livre disso!

O caráter é um dos principais recursos que um homem pode ter para "assessorar" sua vida de oração. Sua santidade cria uma barreira que o inferno não consegue transpor. A santidade de um homem honra seu compromisso com Deus. É uma forma de adoração e uma expressão de preferência. É um estilo de vida que demonstra abertamente um "sacrifício vivo" a Deus (v. Romanos 12.1). Qualquer coisa menos do que isso equivale a palavras vazias e a um fracasso desprezível.

Você se lembra quando o profeta advertiu solenemente o desobediente e enganoso rei Saul? Saul não destruiu aquilo que Deus lhe mandara destruir. Em vez disso, Saul disse que "poupara" as ovelhas e os bois para oferecê-los a Deus em sacrifício. Samuel, sábio homem de oração, disse a Saul: "A obediência é melhor do que o sacrifício" (1Samuel 15.22).

Meu amigo, a *obediência* é a forma mais elevada de louvor a Deus! Você pode dançar e gritar, cantar e levantar as mãos todos os dias, mas não existirá nenhuma oferta verdadeira enquanto não aprender a dominar sua carne e obedecer ao Senhor! A maior das ofertas que você pode levar a Deus como homem de oração são suas paixões, que foram queimadas no altar do sacrifício. Deus honra o homem que o considera mais importante do que sua própria necessidade, humana e egoísta.

> Portanto, irmãos, rogo-lhes pelas misericórdias de Deus que se ofereçam em sacrifício vivo, santo e agradável a Deus; este é o culto racional de vocês. (Romanos 12.1)

É boa a sensação de viver livre de qualquer repreensão. Quando fracasso, sinto-me desprezível e envergonhado. E você? Já passei por fracassos terríveis. Ao longo do caminho, contudo, aprendi a fazer da santidade meu objetivo. Alguns homens deixaram de ter a santidade como alvo. Eles obtiveram "permissão por escrito" para serem fracos, vistos para o fracasso e uma lista completa de "motivos" para justificar a decepção que representam para eles mesmo e para Deus. A verdade é que muitos se desgastaram na luta pela justiça. É uma batalha longa e continuada, mas pode ser vencida!

> Confessem os seus pecados uns aos outros e orem uns pelos outros para serem curados. A oração de um justo é poderosa e eficaz. (Tiago 5.16)

Confesso que sou feito de um barro que ficou endurecido, deformado e defeituoso a ponto de precisar ser descartado. No entanto, Deus, que é rico em misericórdia, reciclou aquilo que todos descartaram! Deus nos ensinará a viver acima do passado, dos medos e das incapacidades, se confessarmos nossas falhas e orarmos uns pelos outros!

Sua masculinidade tem cicatrizes, e sua confiança foi ferida no divórcio pelo qual você acabou de passar? Você está sofrendo? Confessou seus pecados, ou ainda está confessando os pecados de sua esposa? Seja a culpa dela, seja sua, *você nunca será curado confessando os pecados cometidos por outras pessoas*! Confesse *seus* pecados, e Deus curará *você*. O inimigo sabe que as orações mais eficazes são feitas por homens fervorosos e honestos!

Uma das primeiras coisas que nós, homens, precisamos recuperar das garras desonestas do inimigo é nossa posição dentro de nossos lares. Deus quer que reassumamos nossa posição familiar para realizarmos três importantes funções bíblicas.

Somente a oração pode ajudar-nos a desenvolver uma força real nestas áreas:

1. Devemos guiar.
2. Devemos oferecer proteção ou abrigo.
3. Devemos ficar de sentinelas.

DEVEMOS GUIAR

Precisamos ser homens de visão com prioridades direcionadas por Deus! Com frequência as mulheres assumem o papel dominante no casamento porque o marido não apresenta à família uma agenda direcionada por Deus. Os homens têm permanecido "em ponto morto" durante tanto tempo que as mulheres preencheram o vazio de liderança. Agora elas gerenciam a casa toda. Tragicamente, isso tem feito que os homens se tornem inseguros e as mulheres fiquem mais estressadas, deprimidas e amarguradas. Todos seremos mais felizes se os homens de Deus atentarem para o profeta Habacuque:

> "Escreva claramente a visão
>   em tábuas,
> para que se leia facilmente". (Habacuque 2.2)

A verdadeira orientação dada pelos homens sob a autoridade divina sempre respeita as refinadas percepções femininas. Ser "cabeça da casa" não significa ser dominador e autoritário. Significa apenas que os homens têm a responsabilidade de estabelecer uma agenda progressiva e ser suficientemente firmes para manter a família no rumo certo. Em primeiro lugar, os homens santos precisam orar o bastante para ouvir Deus. Depois precisam comunicar efetivamente a visão. Escreva claramente a visão e torne-a clara a todos!

Uma vez que tenha ouvido Deus, você precisa ser suficientemente forte para defender o plano. Abraão teve lutas, mas prosseguiu em direção à visão. Ele e Sara cometeram erros, mas não se desviaram do objetivo. Sara é reconhecida por ter dado à luz Isaque, mas Abraão é lembrado por deixar com sua família aquilo que lhe era conhecido e seguir na direção de uma terra desconhecida que lhe fora prometida pela fé.

Eu e você precisamos seguir em frente com nossas famílias. Não consigo dar espaço para a estagnação porque fui condicionado a ter expectativas de progresso. Acredito que, pelo fato de estar na casa, a casa sente meus efeitos. Deus é progressivo e está sempre em movimento, por isso você e eu devemos ter a expectativa de uma progressão perpétua em nossa vida e nosso lar.

> Então o SENHOR Deus declarou: "Não é bom que o homem esteja só; farei para ele alguém que o auxilie e lhe corresponda". (Gênesis 2.18)

Auxiliadores só são atribuídos a pessoas produtivas. O que um auxiliador pode fazer se a pessoa a ser auxiliada não tem nenhum plano ou atividade? As mulheres literalmente ajudaram a construir igrejas, gerenciar escritórios e negócios, e muito mais. Foram ungidas para ajudar. Foram abusadas por causa de sua natureza auxiliadora. As tragédias ocorrem quando os homens não cumprem seu papel de orientadores e visionários.

A orientação inclui definir os padrões para os filhos e garantir que eles sejam perseguidos. Minha esposa pode ajudar, mas eu preciso estabelecer os padrões. A orientação também inclui ser conselheiro e amigo. Sou o ombro no qual eles choram quando as coisas ficam difíceis. Sou o lugar de descanso de minha esposa e a bússola de meus filhos. Se eu não influenciar minha família de maneira positiva, minha presença na casa será uma desgraça para Deus!

Todos querem receber apreço, mas alguns leitores deste livro estão casados com mulheres ingratas e filhos rebeldes. Talvez você precise de uma recuperação sólida, mas o problema não diminui se você sair de casa amargurado. Fique de joelhos se quiser ver mudança em sua casa e sentir alegria no coração.

Devemos oferecer proteção ou abrigo

Quando Rute foi à cama de Boaz, ele a cobriu com sua capa como sinal de que estava *assumindo a responsabilidade por seu bem-estar*. Foi o ato de um protetor. Ele estava prometendo a Rute provisão e redenção. Quando Boaz cobriu Rute, ela deve ter-se sentido aquecida e segura. Sabia que ele trabalhava com afinco, era compassivo e bem-sucedido, capaz de servir-lhe de proteção e abrigo (v. Rute 3).

Por que alguém iria ao gabinete de um pastor junto com a noiva pretendida sem ter a capacidade de abrigá-la? Será sua responsabilidade dar-lhe roupas e ser o provedor para ela e os filhos que possam ter juntos. Ela "o pode auxiliar", mas ainda assim é *sua* a responsabilidade de prover. Certifique-se de ter um emprego antes de marcar a data para o casamento! Mesmo que seja um subemprego, é importante que você lute com todas as forças para manter seu papel de protetor ou provedor familiar.

É um tributo para mim quando minha esposa está com uma boa aparência e meus filhos se vestem bem. Isso anuncia para todos: "Nada falta a esta mulher; alguém a ama, cuida dela e a protege!". Quero estabelecer um padrão de excelência tão elevado que não temerei se minhas filhas se casarem com "alguém parecido com o pai". Não importa em que condições esteja essa mulher quando você a encontrar: se ela é sua, *é sua função fazê-la ficar melhor*. Sua presença deve afetá-la positivamente.

> "Mais tarde, quando passei de novo por perto, olhei para você e vi que já tinha idade suficiente para amar; então estendi a minha capa sobre você e cobri sua nudez. Fiz um juramento e estabeleci uma aliança com você, palavra do Soberano, o SENHOR, e você se tornou minha.
>
> "Eu lhe dei banho com água e, ao lavá-la, limpei o seu sangue e a perfumei. Pus-lhe um vestido bordado e sandálias de couro. Eu a vesti de linho fino e a cobri com roupas caras. Adornei-a com joias; pus braceletes em seus braços e uma gargantilha em torno de seu pescoço; dei-lhe um pendente, pus brincos em suas orelhas e uma linda coroa em sua cabeça. Assim você foi adornada com ouro e prata; suas roupas eram de linho fino, tecido caro e pano bordado. Sua comida era a melhor farinha, mel e azeite de oliva. Você se tornou muito linda e uma rainha. Sua fama espalhou-se entre as nações por sua beleza, porque o esplendor que eu lhe dera tornou perfeita a sua formosura. Palavra do Soberano, o SENHOR." (Ezequiel 16.8-14)

Se você quer saber como tratar uma esposa, aprenda essa lição do Livro de Deus. Deus descreve como ele tratou sua "esposa", Israel. Não é errado; é certo ser bom para sua esposa. Outros homens nos fizeram pensar que é errado amar a esposa. O ato de dar é uma declaração a respeito daquele que dá.

"Dar proteção e abrigo" vai além de prover roupas. Devemos proteger e abrigar nossas famílias com testamento, seguro de vida e seguro-saúde. Isso significa suprir suas necessidades, quaisquer que sejam. Significa suprir as necessidades futuras de nossa família, tanto quanto as do presente. Sei que é uma tarefa gigantesca, mas não fuja dela. Faça o melhor que puder com suas habilidades. Tenha a aspiração de realizar essas coisas por meio de Deus!

Muitos de nossos filhos não chegaram ao final da infância porque foram jogados apressada e prematuramente na vida adulta. Eles não experimentaram a "sensação de segurança" que só vem por meio da proteção segura de um pai. Desenvolveram uma atitude defensiva a fim de sobreviver. O poder de um pai que ora pode guardar seus filhos e sua família, impedindo que enfrentem os ventos gelados e destrutivos da vida sem proteção e provisão.

É desafiador ser o herói de todos. Entregue a obra a Deus e fique à disposição do Senhor! Ele é sua fonte ilimitada para tarefas impossíveis. Seu ponto extremo é a oportunidade de Deus. Contudo, Deus não começará sua obra enquanto você não esgotar seus recursos. Comece. Deus concederá a você milagre após milagre se for um homem de oração que tem um objetivo, uma agenda e fé em seu nome!

Eu e você fomos chamados para sermos *eficazes*. Talvez não consigamos mudar tudo, mas certamente causaremos impacto. Não quero ter um emprego no qual não exerço influência. Não quero estar em uma igreja que não percebe nenhuma mudança depois de eu entrar nela. Sou poderoso o suficiente para afetar qualquer coisa da qual faço parte. Você não é? Claro que é. Quando você se vincula a uma igreja local, tanto a renda quanto a influência dos dois devem aumentar!

DEVEMOS FICAR DE SENTINELAS

Como pai, você é o defensor que precisa impedir que qualquer predador tente atacar sua casa. Venha o ataque de um espírito, de um homem ou de um animal, para entrar em sua casa, a ameaça precisa enfrentar o tremendo poder e a autoridade do homem de Deus no portão. Não há garantias de que um dos adversários não aparecerá. Às vezes, a despeito de tudo o que fazemos, surgem situações de confronto, mas é tolice não tomar todas as precauções para impossibilitar a invasão de um assaltante.

Muitos homens estão prontos para defender sua família dos ataques físicos, mas poucos estão preparados para defender sua família dos ataques espirituais. Apesar de terem lutado contra ladrões e criminosos, ainda estão infectados por culpa interna, perversões pessoais e problemas morais. Não estão capacitados a erguer defesas contra a depressão, o suicídio, o abuso infantil ou outros espíritos que podem escolher seu lar como alvo. Não é possível destruir coisas assim usando armas, mas podemos detê-las usando a oração!

O Diabo odeia ver a oração alastrar-se entre os homens, pois sabe que ficamos de sentinelas da casa por meio da intercessão. Ocupamos a posição de autoridade inexpugnável em nosso lar quando cobrimos nossa esposa e filhos com a oração!

Homem de Deus, você e eu não estamos desamparados! Mesmo quando guerreamos contra as forças espirituais nos lugares celestiais, vamos para a batalha com força irresistível e armas invencíveis.

Fique de sentinela em favor de seus amados usando a oração. Deixe que seus filhos observem você ministrando por meio da oração. A oração é uma ferramenta poderosa que protege aqueles que você ama. Quando oramos, Deus normalmente nos dá direção e orientação para ajudar a salvaguardar nossa família do ataque. Ele fez isso por Noé, José e Maria, e fará por nós também.

Existe uma diferença entre ideias boas e ideias divinas. A ideia divina é concebida e acalentada no ventre da oração. Não é aventura nem tentativa. Nasce ao pôr em prática o plano que Deus deu a você na oração.

Ao descobrir que você tem uma ideia divina, não se deixe intimidar pela sabedoria terrena de quem quer que seja. Quando recebemos o conselho de Deus num assunto, isso encerra a questão. Não permita que os planos do Senhor sejam contaminados pelas pessoas que têm boa vontade, mas não possuem a mente do Senhor para aquela situação em particular. Não se deixe confundir pela manipulação de outras pessoas. Alguns homens são tão indecisos que é difícil acompanhá-los. Os homens que nunca tomam decisões definitivas permitem que o inimigo arranque de dentro deles a programação divina.

> Se algum de vocês tem falta de sabedoria, peça-a a Deus, que a todos dá livremente, de boa vontade; e lhe será concedida. Peça-a, porém, com fé, sem duvidar, pois aquele que duvida é semelhante à onda do mar, levada e agitada pelo vento. Não pense tal pessoa que receberá coisa alguma do Senhor, pois tem mente dividida e é instável em tudo o que faz. (Tiago 1.5-7)

Um homem piedoso guarda seus planos, sua sabedoria e sua família dos ataques espirituais. Ele também protege a Palavra de Deus e as santas tradições que transmite para sua família. Ensine seus filhos a andar com seu Deus desde cedo. Mostre-lhes que você serve a Deus, não a alguma força ou energia. Você não apenas "acredita num poder mais elevado" porque sua percepção talvez seja excêntrica. Mantenha a guarda por causa da verdade espiritual. Ensine a seus filhos a importância da fé. "Fé na fé" é um disfarce barato para o humanismo, que se traduz no homem prestando adoração à sua própria vontade. Sua fé não é "energia desconectada em busca de algum objeto ao qual ligar-se e alterar-se". Sua fé está em Deus, e ele tem nome! Ele é a realidade!

> Amados, embora estivesse muito ansioso por lhes escrever acerca da salvação que compartilhamos, senti que era necessário escrever-lhes insistindo que batalhassem pela fé de uma vez por todas confiada aos santos. (Judas 3)

Um homem de Deus tende a ter forte poder de persuasão — até mesmo um homem tímido e gaguejante como Moisés. Às vezes as pessoas seguem aquilo que você ensina simplesmente porque é *você* quem está ensinando.

Certifique-se de oferecer uma mensagem sólida e correta. Muitos neutralizam o testemunho em favor de Deus, dizendo: "Não importa, creio naquilo que quiser acreditar". *Isso é ridículo!* Dê a cada homem e mulher, a cada menino e menina, um entendimento claro da verdade. Você não pode obrigá-los a acreditar, mas pode garantir que você próprio entende com clareza essa fé e a comunica com clareza para as pessoas.

Um homem que ora acumula uma rica herança. É a reunião de todas as coisas que ele aprendeu a respeito de Deus. As coisas especiais que um pai que ora faz por sua família devem passar à geração seguinte como parte de uma herança piedosa! Esse tipo de sabedoria põe Deus nas raízes do ser da criança. Ela não será facilmente abalada.

Você tem uma herança espiritual? Há milagres em sua vida? Há coisas que você sabe que Deus fez por você? Proteja e preserve a herança da fidelidade de Deus transmitindo-a a seus filhos. Isso pode salvá-los de enganos e sofrimentos inúteis. Eles saberão o que você sabe, sem terem passado pelo sofrimento que você passou!

> Disse ele aos israelitas: "No futuro, quando os filhos perguntarem aos seus pais: 'Que significam estas pedras?', expliquem a eles: Aqui Israel atravessou o Jordão

em terra seca. Pois o SENHOR, o seu Deus, secou o Jordão perante vocês até que o tivessem atravessado. O SENHOR, seu Deus, fez com o Jordão como fizera com o mar Vermelho, quando o secou diante de nós até que o tivéssemos atravessado. Ele assim fez para que todos os povos da terra saibam que a mão do SENHOR é poderosa e para que vocês sempre temam o SENHOR, o seu Deus". (Josué 4.21-24)

Finalmente, meu irmão, *guarde seu coração*. O inimigo quer amargurá-lo e corrompê-lo. Guarde seu coração de ser contaminado por lascívia e solidão, intolerância e arrogância, e por tudo o que há entre esses polos. Seus inimigos podem até esconder-se atrás de atos de bondade realizados com motivação maligna. Só você pode montar essa guarda porque nenhum outro homem é capaz de discernir suas motivações e intenções.

Se Sansão tivesse guardado seu coração, Dalila não o teria enfraquecido. Se Sansão tivesse guardado seu coração com a couraça da justiça que Paulo mencionou, teria continuado produtivo em Israel. No entanto, no calor de sua paixão e cansaço na vida, Sansão "contou o segredo" (Josué 16.17). Que tragédia! A fraqueza de Sansão contaminou seu coração com lascívia e solidão, e ele o entregou a outra pessoa que não Deus.

Há coisas que não entregamos a ninguém, só a Deus.

Muitos homens entregaram seu coração a pessoas, carreiras e ideais (o que não é uma ideia divina). Eles se surpreenderam quando essas pessoas ou coisas traíram o investimento feito de todo o coração. Sempre reserve a porção mais profunda e íntima de seu coração e de sua confiança para Deus. Ir além disso beira a idolatria e produz a recompensa pagã do fracasso.

Deus quer seu coração. Esse foi o fundamento de sua união original com ele. Deus não apelou a seu intelecto; ele exigiu fé.

O inimigo despreza nosso coração porque é com o coração que cremos para justiça.

> Pois com o coração se crê para justiça, e com a boca se confessa para salvação. (Romanos 10.10)

A paz divina é um dos principais sistemas de segurança para guardar o coração. Essa paz nasce do coração. Faz que você confie naquilo que não consegue distinguir os traços. Leva você a confiar no caráter de Deus. O caráter não pode ser provado; precisa ser crido. Nada que você leia (incluindo este livro) substituirá a experiência pessoal que evolui da oração, do louvor e do tempo gasto aprendendo a conhecer o Deus no qual seu coração acreditou. Existe um mundo de fé que sobrepuja a crença, e este é o mundo do saber.

> Por essa causa também sofro, mas não me envergonho, porque sei em quem tenho crido e estou bem certo de que ele é poderoso para guardar o que lhe confiei até aquele dia. (2Timóteo 1.12)

Acreditamos com o coração, e o processo começa. Por fim, sua fé se forma por meio das experiências de vida, numa confiança que se chama saber. Satanás quer impedir o processo porque sabe que as pessoas que conhecem Deus serão fortes e tomarão posse dos despojos! Guarde seu coração porque pode existir em você um Sansão que o inimigo quer destruir!

Quando perdemos a paz e nos tornamos ansiosos e preocupados, podemos tomar decisões radicais que abrem a porta a ataques demoníacos! Isso permite que o inimigo sugira ameaças de perigo iminente que o deixam aterrorizado e abalado, fazendo-o baixar a guarda que o preservaria numa tempestade. Não abra mão da paz de Deus! A paz o capacita a passar pelo teste sem que você seja passado para trás! Talvez você perca algumas coisas, mas, se mantiver a paz, poderá recuperá-la. Para você ser um homem de oração, não abra mão da paz.

> Não andem ansiosos por coisa alguma, mas em tudo, pela oração e súplicas, e com ação de graças, apresentem seus pedidos a Deus. E a paz de Deus, que excede todo entendimento, guardará o coração e a mente de vocês em Cristo Jesus. (Filipenses 4.6,7)

A paz de Deus guardará seu coração e sua mente. Ela o fará selecionar quais pensamentos você cultivará em sua mente. Sansão entreteve Dalila, e ela se infiltrou em seu coração para pegar seus segredos. Evite cultivar pensamentos que destruam sua paz. Sempre que me vejo ensaiando problemas continuamente, sei que estou cultivando esses problemas. Eles "cortarão meu cabelo de unção" caso eu não os aborte. Como um pensamento pode ser "abortado"?

> Finalmente, irmãos, tudo o que for verdadeiro, tudo o que for nobre, tudo o que for correto, tudo o que for puro, tudo o que for amável, tudo o que for de boa fama, se houver algo de excelente ou digno de louvor, pensem nessas coisas. Ponham em prática tudo o que vocês aprenderam, receberam, ouviram e viram de mim. E o Deus da paz estará com vocês. (Filipenses 4.8,9)

Se a vida propôs a você algumas provações, não desista. Você pode estar por baixo, mas graças a Deus não está derrotado. Fortaleça as coisas que permaneceram e vá em frente. Você nunca sobreviverá sem orientação aos desafios da vida. Deus quer ensinar a você a importância e o poder da comunhão diária com ele.

Você está no ringue com um oponente formidável que o quer derrubar neste exato momento! Seu inimigo sabe que Deus predestinou você para a grandeza. Ele adoraria destruir você com um único golpe, mas não tem poder para derrubar um homem que realmente ora.

Comprometa-se a permanecer na força de Deus, independentemente dos desafios ou das questões que a vida traz e independentemente da força com a qual você foi golpeado. Talvez você sinta a pontada dos golpes do Diabo, e talvez até mesmo se encolha de dor, mas responda a isso com fogo nos olhos. Ninguém jogará a toalha nesta luta.

Aquela cobra não está lutando contra um homem de pulso frouxo, um covarde emasculado que não tem gana. Você foi até as portas do inferno e voltou por você, por sua família e talvez até mesmo pelas almas perdidas! Você foi criado e treinado à imagem e semelhança do pior pesadelo de seu inimigo! Você é um homem ressurreto! Teve sua fé renovada e está firme em suas convicções. Diga ao inimigo: "Sou um homem de oração. Se eu cair, cairei de joelhos!".

REVISÃO

1. Verdadeiro ou falso: A oração é o recurso mais ignorado e subutilizado no Reino de Deus. _____
2. A oração pode ser um desafio especial para os homens por causa de sua tendência à _____.
3. Quais são as três coisas que a oração requer de nós?
   a. _____
   b. _____
   c. _____
4. Os homens evitam verbalizar seus desejos porque temem ficar _____.
5. A oração é um desafio para pessoas que necessitam de _____ pública. A oração profunda só acontece quando nos alienamos do _____ das pessoas.
6. Verdadeiro ou falso: A oração profunda pode ser feita em público se você for suficientemente articulado ou expressar-se muito bem. _____
7. Verdadeiro ou falso: Deus pode fazer qualquer coisa para a qual sua fé seja suficiente e qualquer coisa que você tenha coragem de suplicar. _____
8. A oração repõe aquilo que a vida _____.
9. As orações verdadeiras são apelos _____ de homens cheios de fé a um Deus poderoso que _____ e _____.
10. Se não conseguirmos aprender a arte terapêutica da _____, teremos o horrível vício da _____.
11. A frustração, junto com o discurso grosseiro e a fúria, são sinais reveladores de _____.
12. A oração não é um sinal de fraqueza; é o privilégio maravilhoso de entregar nossa _____ a uma _____ superior.
13. Verdadeiro ou falso: A oração é um elogio para Deus. Ele é lisonjeado e santificado quando oramos. _____
14. Quando um homem está com o espírito ferido, seu _____ pela vida desaparece, abatido pelo estresse e pela sensação de vazio, frustração e solidão.

15. Se você quer reavivar sua paixão, empolgação e intensidade, precisa orar pedindo um _____.
16. Quando você assume a responsabilidade pela decisão de outras pessoas, você se desgasta porque está "_____ Deus".
17. Verdadeiro ou falso: A oração tem o poder de mudar vidas e é melhor do que aconselhamento ou terapia. _____
18. Precisamos viver perto o suficiente de Deus para ouvirmos seus _____ sobre os perigos iminentes e perto o suficiente de nossa família para que ela tenha _____ naquilo que Deus nos disse.
19. Você pode conquistar o _____ de sua esposa e de seus filhos tornando-se um homem de oração.
20. Você pode literalmente mudar a direção de toda a sua família — sem _____ nem _____ — simplesmente por meio da boa e velha oração!
21. Quando nos ajoelhamos para orar, devemos... (Assinale a alternativa correta):
    a. Pedir que Deus conserte nossa família.
    b. Pedir que Deus nos conserte.
22. Fazer distinção entre pecados é um obstáculo para uma vida de oração. Cite diversos outros fatores que impedem que um homem ore:
    _____
    _____
    _____.
23. Verdadeiro ou falso: A oração é a mais elevada forma de louvor a Deus. _____
24. Verdadeiro ou falso: É impossível você ser curado se confessar apenas a falha de outras pessoas. _____
25. Uma das primeiras coisas que nós, homens, precisamos recuperar das garras desonestas do inimigo é nossa _____ dentro de nossos _____.
26. Só a oração pode ajudar-nos a desenvolver a verdadeira força em três importantes funções bíblicas. Quais são elas?
    a. _____
    b. _____
    c. _____

27. As mulheres com frequência assumem o papel dominante no casamento porque o marido não apresenta à família uma _____ _____ _____ _____.
28. Os homens têm permanecido em "ponto morto" durante tanto tempo que as mulheres preencheram o vazio de _____ e agora gerenciam a casa toda.
29. Isso tem feito que os homens se tornem _____, e as mulheres fiquem _____, _____ e _____.
30. Verdadeiro ou falso: Para ser o "cabeça da casa", um homem precisa ser dominador e autoritário. _____
31. Os homens têm a responsabilidade de estabelecer uma agenda _____ e ser suficientemente _____ para manter a família no rumo certo.
32. Que passos os homens precisam dar para orientar sua família?
    a. _____
    b. _____
33. Deus é progressivo e está sempre em movimento, por isso você e eu devemos ter a expectativa de uma _____ em nossa vida e nosso lar.
34. Se eu não influenciar minha família de maneira positiva, minha presença na casa será uma _____ para Deus!
35. O que significa a afirmação: "Os homens devem proteger e abrigar sua família"? _____ _____ _____.
36. Quando o desafio de proteger e abrigar sua família parece esmagador, o que você deve fazer? _____ _____ _____.
37. Muitos homens estão prontos para defender sua família dos ataques _____, mas poucos estão preparados para defender sua família dos ataques _____.
38. Homens infectados pela culpa interna e por problemas morais não estão capacitados a erguer _____ contra a depressão, o

suicídio, o abuso infantil ou outros espíritos que podem escolher seu lar como alvo.

39. O Diabo odeia ver a oração alastrar-se entre os homens, pois sabe que ficamos de sentinelas da casa por meio da _____
_____
_____
_____.

40. Qual é a diferença entre uma boa ideia e uma ideia divina? _____
_____
_____
_____.

41. Ao descobrir que você tem uma ideia divina, não se deixe intimidar pela _____ de quem quer que seja.

42. Duas coisas que você pode fazer para transmitir sua fé para seus filhos é você mesmo _____ a fé que possui e _____ com clareza esta fé para as pessoas.

43. Uma herança piedosa deixada por um pai põe Deus nas _____ do ser da criança, e ela não será facilmente abalada.

44. Qual herança você pode deixar a seus filhos? Existem milagres em sua vida? Existe algo que Deus tenha feito por você? Escreva pelos menos duas dessas coisas: _____
_____.

45. "Guardar seu coração" significa sempre reservar a porção mais profunda e íntima de seu _____ e de sua _____ para Deus.

46. Verdadeiro ou falso: A paz divina é um dos principais sistemas de segurança que você pode usar para guardar seu coração. _____
_____

47. Nada substituirá a experiência pessoal que evolui da _____, do louvor e do tempo gasto aprendendo a _____ o Deus no qual seu coração acreditou.

MAIS UM DESAFIO: Como você pode encaixar um tempo de oração em sua vida? Esteja disposto a fazer sacrifícios para encontrar esse tempo e torná-lo um hábito. A recompensa vale o esforço.

Pense nisso e registre por escrito os momentos que atualmente estão tomados por outras atividades. Comece com 15 minutos. _____
_____
_____
_____
_____
_____
_____.

Vivendo como um homem sem amarras

Capítulo 15

> Seis dias antes da Páscoa Jesus chegou a Betânia, onde vivia Lázaro, a quem ressuscitara dos mortos. Ali prepararam um jantar para Jesus. Marta servia, enquanto Lázaro estava à mesa com ele. (João 12.1,2)

Quando nos livramos da morte ou atravessamos o vale sombrio do canal de nascimento que nos traz à luz, Deus nos livra dos vínculos antigos para vivermos em nova paz e poder. *Você é um sobrevivente*! Deus abriu sua sepultura de fracasso para provar que ele o quer ver vivendo uma vida abundante! Parte da vida abundante inclui saber quem você é e para onde está indo.

Lázaro, o ressurreto, estabeleceu o padrão para todo sobrevivente amedrontado que veio depois dele. Ele é o embaixador da esperança para todos os homens que um dia já precisaram ou sonharam ter uma segunda chance! Sua chama de vida foi reacendida pelo sopro do Salvador, e Lázaro reviveu depois de ter morrido. Ele é uma prova de que Deus pode produzir um "retorno" a cada infortúnio.

O que você faria se fosse Lázaro? Sua vida foi arrancada das garras geladas de uma sepultura fria e reacendida numa contorção saltitante de dominação sobrenatural! Como se vive depois de ter provado a morte e após ter sido ressuscitado para contar a história?

Talvez nunca saibamos exatamente quais foram as sensações físicas experimentadas por Lázaro, mas muitos de nós acreditamos já ter sentido como é morrer e voltar miraculosamente no espírito! Também fomos enterrados numa sepultura e abandonados por tanto tempo que nossa vida decadente começou a cheirar mal. Depois ressuscitamos ao doce som da voz de um Salvador amoroso cuja palavra viva afugentou a morte de nosso corpo.

Jesus não precisa falar para trazer a libertação; ele poderia ter libertado Lázaro com um único pensamento. Mas escolheu pronunciar o nome de Lázaro nas asas do vento e assim confundir os zombadores, os duvidosos e até mesmo os chorosos enlutados. Imediatamente, o sangue de Lázaro voltou a ser um líquido quente na presença de Cristo!

Jesus também chamou cada um de nós, tirando-nos do crepúsculo e levando-nos a uma fé renovada. Se você nunca precisou ser ressuscitado ou experimentar o poder ressuscitador de sua voz, não conseguirá entender estas palavras. Nenhum tesouro que você possua, nenhum diploma que venha a apresentar, pode comparar-se à voz do chamado de Jesus para voltar da mortal frivolidade humana! Se Lázaro não soubesse nada além disso, *sabia que estava vivo!* Você está vivo? Quer dizer, *vivo de verdade?*

Você tem um encontro marcado com Deus. É por isso que este livro está em suas mãos, e é por isso que você se mantém grudado no texto, parágrafo por parágrafo, página por página, capítulo por capítulo. Deus levantou-se para despertar em você uma nova vida! Quero compartilhar rapidamente algumas lições vitais da experiência de Lázaro que ajudarão você a viver "sem amarras"!

1. SÓ APAREÇA ONDE JESUS ESTIVER

Sempre que Jesus aparecia na cidade, Lázaro fazia questão de estar presente. Quem ouvia Cristo uma vez, queria ouvi-lo de novo! A voz que pronuncia vida na mortalidade é tão poderosa que as coisas que normalmente o comoviam já não exercem o mesmo efeito! Lázaro já não se incomodava de ir aos lugares nos quais já havia encontrado plenitude. Suas prioridades tinham mudado. Uma coisa era certa: se Jesus estivesse na área, saberíamos que Lázaro também estava!

Muitos homens modernos usam o "milagre de Lázaro" para lançar um ministério ou iniciar um *show* paralelo. Eles se autoproclamam algum tipo de "maravilha". Lázaro não se interessaria. Ele passou por muitas coisas para brincar com as vaidades do autoengrandecimento. Estava ocupado demais desfrutando seu tempo extra com o Autor da vida a ponto de prostituir o que Deus havia feito por ele!

Se você tivesse sido literalmente ressuscitado dos mortos, conseguiria resistir aos convites para participar de programas de entrevistas e seria capaz de afastar-se dos fotógrafos das revistas? *Lázaro estava apaixonado demais pela Solução para prestar atenção ao* glamour *do problema*!

Creio que Lázaro passava mais tempo olhando para o azul do céu e para as ondas que se formavam no lago, após ter sido ressuscitado. Imagino que ele saboreava muito mais a água fresca num dia quente. As coisas mais simples são um grande prazer para um homem que já experimentou a morte!

Ezequias foi um tipo diferente de homem. Também foi salvo da morte, mas, após a suspensão temporária de sua sentença, destruiu o bem que tinha feito tentando impressionar alguns reis pagãos! (V. 2Reis 20.1-19.) Não foi capaz de saborear os momentos que Deus lhe concedeu. Quando um julgamento foi pronunciado sobre seu reinado, Ezequias basicamente disse: "Ufa, fico aliviado com o fato de que essas coisas ruins acontecerão com meus filhos, não comigo!".

Aprenda com Lázaro e com Ezequias. Diferentemente de Ezequias, Lázaro investiu sua vida nova no favor e na presença de Deus, não no favor dos homens.

> Uma grande multidão de judeus, ao descobrir que Jesus estava ali, veio, não apenas por causa de Jesus, mas também para ver Lázaro, a quem ele ressuscitara dos mortos. (João 12.9)

Os judeus sabiam que, se quisessem ver "Lázaro, a quem ele ressuscitara dos mortos", tinham de ir onde Jesus estava. Por quê? *Lázaro só aparecia onde Jesus estava.*

Entre diversas tribos nativas da América, se um homem salvar sua vida, você fica em dívida com ele pelo resto de sua vida. Onde você estaria se Jesus não tivesse interrompido o lamento e resgatado seu cadáver apodrecido da sepultura do fracasso e da degradação? Honre-o com sua vida.

Estou preocupado com os muitos homens que receberam uma segunda chance. Minha preocupação baseia-se no fato de que eles não podem dar-se ao luxo de voltar para o mesmo ambiente que perpetuou o problema.

Se você tem a pretensão de ser abençoado, deve evitar as associações que ajudaram o inimigo a atacar sua vida! Mesmo correndo o risco de ficar isolado ou parecer introvertido, faça como Lázaro. Só apareça onde Jesus estiver. Se não for para a glória de Deus, não se envolva! Essa é a dedicação que acompanha um homem em sua segunda chance! É uma atitude de gratidão.

A gratidão cria um desejo natural de apoiar o ministério. Ninguém conheceu o valor do ministério sobrenatural como Lázaro e suas gratas irmãs! Dar torna-se um ato de adoração quando reflete uma consciência a respeito de Deus. Dar é uma oportunidade de compartilhar os frutos de sua bênção imerecida com um Deus merecedor, que demonstrou a você toda a sua graça!

Deus é minha "caridade" favorita. Sempre darei apoio a sua obra, pois sei de antemão que sua palavra é real. A mídia pode mostrar milhares de homens fracassados, mas minha fé nunca será abalada. Eu já sei que Deus é o Senhor dos homens fracassados. Apoio Deus e sua obra porque clamei a ele em meu desespero, e ele me atendeu! Como posso afastar-me com uma atitude carnal e egoísta depois de sobreviver milagrosamente a minhas crises? A generosidade transborda onde a graça de Deus se encontra!

Temos um desejo e uma necessidade recebidos dos céus para intercambiar as bênçãos intangíveis com as tangíveis. O ministério faz coisas em nossa vida que simplesmente não têm preço.

> Pois está escrito na Lei de Moisés: "Não amordace o boi enquanto ele estiver debulhando o cereal". Por acaso é com bois que Deus está preocupado? Não é certamente por nossa causa que ele o diz? Sim, isso foi escrito em nosso favor. Porque "o lavrador quando ara e o debulhador quando debulha, devem fazê-lo na esperança de participar da colheita". Se entre vocês semeamos coisas espirituais, seria demais colhermos de vocês coisas materiais? (1Coríntios 9.9-11)

Esse é um compromisso que ousadamente declara: "Sou uma parte viva deste ministério porque sei que ele funciona!". Se as pessoas querem ver-me, devem estar preparadas para ouvir a respeito de Jesus! Não quero ir a lugar algum onde ele não seja bem-vindo. Ele é meu amigo, meu irmão e meu guarda-costas. Só me sinto seguro quando estou de acordo com sua vontade, e não sou o único. Esta atitude é compartilhada por todos os que já sentiram a segura e reconfortante mão de Deus!

> Portanto, já que vocês ressuscitaram com Cristo, procurem as coisas que são do alto, onde Cristo está assentado à direita de Deus. (Colossenses 3.1)

Só apareça onde Jesus estiver!

2. RECLINE-SE EM SUA PRESENÇA

> Ali prepararam um jantar para Jesus. Marta servia, enquanto Lázaro estava à mesa com ele. (João 12.2)

Uma vez que tenha sobrevivido a um ataque como aconteceu com Lázaro, você não pode mais ser um cristão frio e indiferente, que se satisfaz cultivando pensamentos ingênuos sobre algum tipo de "poder superior". Sua fé vai além de qualquer conceito abstrato referente a uma "força indeterminada" oculta em alguma parte da galáxia. Seus pensamentos não se fixam num "grande cara lá no céu" ou no "homem lá em cima". Jesus tirou você de um atoleiro, e você sabe disso! Nada além dele consegue satisfazer sua fé!

Toda vez que os judeus viram Jesus após o milagre em Betânia, Lázaro estava junto dele. Lázaro tinha um compromisso com o Senhor que o havia ressuscitado. A maioria dos homens não persevera por tanto tempo. Estão por perto durante algum tempo, enquanto não houver perigo imediato. Parece que "têm mais o que fazer". Lázaro era inteligente o bastante para não "interromper a medicação" só porque sua condição havia melhorado. Jesus era sua vida, e Lázaro permaneceu a seu lado.

Lázaro já não cheirava mal. Sua carne era tão sadia quanto a nossa, mas ele ainda lembrava como foi olhar para a multidão chorosa e espantada através de suas faixas sujas e podres! Mesmo naquele momento, ele só tinha olhos para o Único. A memória que Lázaro tinha de sua decomposição era suficiente para mantê-lo comprometido com o programa! Ele estava ao lado de Jesus.

Você está ao lado do Senhor que está a seu lado? Mais alguém cambaleia à beira de uma sepultura, com trapos tão mal--cheirosos que ninguém se dispõe a tocá-los. E quanto a você? Você conhece o poder da vontade de seu Mestre. Estará ao lado dele para continuar sua obra de libertação?

Lázaro vivia ao lado do Mestre. Ficava tão relaxado que se reclinava na presença do Senhor! Sentia-se confortável porque uma vez mais ele descansava no poder que o havia libertado! A maioria dos homens nunca se reclina na presença de Deus. Alguns chegam a pensar que é blasfêmia falar desse jeito. A verdade é que, após passar pelos traumas, surgem em nosso coração uma nova fé e uma nova fome, fazendo-nos buscar Deus de maneira ávida, implacável, a qualquer custo.

A presença de Deus também tende a preservar nossa ressurreição. Não podemos dar-nos ao luxo de esfriar: precisamos manter-nos perto de seu fogo. Precisamos adorar da mesma forma que os viciados precisam das drogas! Não somos atraídos apenas pela euforia que sentimos na presença de Cristo; o que nos motiva também é a dor que sentimos longe dele! Só nos sentimos normais quando estamos com ele. O que mais se compara a isso? Fomos marcados e transformados. Agora só conseguimos relaxar em sua presença.

Isso não deveria soar estranho. O homem foi criado para habitar na presença de Deus da mesma maneira que os peixes vivem na água! Os pássaros foram feitos para voar alto nos ventos, e as plantas foram criadas para prosperar em solo rico. Homens sem amarras necessitam da presença de Deus. Nossa fome e nossa sede por ele nos levam a abrir mão de nosso acalentado machismo e a adorá-lo abertamente na frente de estranhos. Nós o seguimos como cegos tateando no escuro. Aceleramos em sua direção assim como as raízes sedentas penetram o solo seco, pois queremos saciar nossa sede eterna com a alegria que só encontramos na presença dele!

> "De um só fez ele [Deus] todos os povos, para que povoassem toda a terra, tendo determinado os tempos anteriormente estabelecidos e os lugares exatos que deveriam habitar. Deus fez isso para que os homens o buscassem e talvez, tateando, pudessem encontrá-lo, embora não esteja longe de cada um de nós. 'Pois nele vivemos, nos movemos e existimos', como disseram alguns dos poetas de vocês: 'Também somos descendência dele'." (Atos 17.26-28)

Pastor, se queremos reabilitar os homens feridos a nossa volta, precisamos ensiná-los a adorar. Precisamos ajudá-los a encontrar o lugar secreto na presença de Deus e ali reclinar. Adorar não é uma prática efeminada. Não é coisa de homem que só ouve a opinião feminina. É para matadores de gigantes como Davi! É para homens de guerra como Sansão! Dê aos homens a presença de Deus, e eles conseguirão repelir Dalila. Dê a eles a presença de Deus antes que percam a batalha contra a luxúria.

A presença de Deus é um bálsamo curador para homens de negócios cujo estresse não se resolve com uma garrafa de uísque. Essa presença leva esperança para ex-viciados que precisam desesperadamente preencher sua vida com Deus e superar os vícios incrustados em sua alma, para que o inimigo não volte e encontre limpa e vazia a casa antiga!

Pastor, os homens seguem seu exemplo. Se você for frio e indiferente, eles serão frios e indiferentes. Você é um pai substituto para muitos deles! Ajude-os a criar um vínculo com Deus que não pode ser rompido. Ensine todos os jovens sob seus cuidados a apegar-se à presença amorosa de Deus até que sua imagem seja impressa em nosso caráter. Esgotados e exaustos, precisamos todos reclinar na presença de Deus!

Lance todas as suas preocupações, ansiedades e frustrações sobre Deus. Ele não ressuscitou você para o enterrar de novo debaixo das velhas preocupações e estresses. Ninguém consegue apreciar um novo começo tão bem quanto a pessoa que realmente precisa de um! Sinta o cheiro do frescor da manhã e alegre-se enormemente por ter sobrevivido. Está na hora de ir além da tumba sinistra do passado! Veja o sol nascendo na montanha e alegre-se com as folhas de grama dançando ao vento.

Este é o seu dia. Alguns acharam que você nunca conseguiria. Mas aqui está você. Se ninguém preparar para você um bolo de comemoração, faça sua própria festa! Celebre aquilo que Deus fez por você! Recline-se na presença do Senhor no frio da noite, quando os pássaros gorjeiam suavemente e o dia se fecha como uma cortina. Deus não faltará a você. Ele consegue suportar todo o seu peso, por isso recoste-se nele. Ele está esperando por você.

Aprenda com Lázaro. Descanse na presença de Deus. Há muito pouco estresse quando vivemos livres, como *homens sem amarras*!

3. VIVA ALÉM DA INTIMIDAÇÃO

> Uma grande multidão de judeus, ao descobrir que Jesus estava ali, veio, não apenas por causa de Jesus, mas também para ver Lázaro, a quem ele ressuscitara dos mortos. Assim, os chefes dos sacerdotes fizeram planos para matar também Lázaro, pois por causa dele muitos estavam se afastando dos judeus e crendo em Jesus. (João 12.9-11)

Nada ameaça um homem morto. As pessoas só temem aquilo que não enfrentaram, e os que são como Lázaro já enfrentaram os desafios últimos da vida. *Raramente eles se intimidam.*

Homens menos experientes poderiam ter-se escondido. Os inimigos poderosos não ficaram felizes com sua sobrevivência, mas Lázaro não cedeu. O medo já não o afetava porque ele olhara no rosto da morte e do fracasso e partira para uma vida nova. Ele conhecia o terror de estar ao lado de outros cadáveres. Estava familiarizado com o fedor e a decomposição dos corpos apodrecidos e conhecia as caretas de desprezo daqueles restos mortais humanos.

Bem, com o que aqueles homens o ameaçavam? Com a morte? De que planeta vinham? Lázaro tinha encontrado um Salvador que podia resgatá-lo da sepultura numa fração de segundo! As ameaças eram uma perda de tempo. Lázaro passou por desafios demais para desistir do jogo só porque alguém demonstrou não gostar dele!

Você é um homem *sem amarras*! Já fez o curso de sobrevivência, já passou pelo treinamento de recrutas. Você é um homem endurecido pelos combates, repleto de cicatrizes de guerra, monumentos e troféus de sua sobrevivência pessoal. Você já não entra em pânico quando encontra oposição. Nem pensa em abandonar o quartel ou fugir. As coisas mudaram do lado de cá da sepultura. Desta vez é o inimigo quem faz tremer os joelhos escamosos. Existe algo muito familiar no lampejo de seus olhos, na calma confiante e na força subjacente que o inimigo consegue perceber em seu coração. É irônico que o inimigo mais aterrorizante que você teve de enfrentar estava dentro de você. Agora é o troféu que você ergue no alto do seu coração!

Por ter desenvolvido a tenacidade para sobreviver, você está preparado para fazer coisas grandiosas para Deus. Ninguém consegue deter-nos quando aprendemos a golpear repetidamente nosso corpo e a negar nossos desejos. A ressurreição muda nossa maneira de reagir ao medo, e à morte. Não significa que nunca mais sentiremos medo, mas que reagiremos de maneira diferente ao medo. A sobrevivência gera confiança.

Como o grito retumbante de medo traspassou sua consciência, você sabe de coisas que os outros não sabem. Quando você sentir o gosto salgado das lágrimas de frustração, e tudo em você disser "Desisto, não posso continuar!", você saberá de coisas que as outras pessoas não sabem. Quando seu coração tiver aberto à força um caminho para continuar bombear sangue apesar da dor excruciante, você saberá de coisas que as outras pessoas não sabem.

Você sobreviveu ao terror de sentir pesos invisíveis no peito e lutou contra os exércitos noturnos do tormento e da guerra interior. Sei que você entende o que estou dizendo. Você tropeçou e cambaleou das péssimas para as piores notícias sem perder o ritmo. *Você é a voz da sepultura do fracasso resgatada para falar a sua geração*! Você foi libertado da mortalha e consagrado por Deus como uma dádiva viva para esta geração.

Você e eu somos uma "prova positiva" de oração respondida pelo simples fato de estarmos vivos!

Ninguém pode ameaçar-me com a morte. Já estive morto. Fui retirado como um cadáver gelado de um rio turbulento e ressuscitado nas margens até que revivesse com o fôlego daquele que me resgatou. Não correrei para me esconder simplesmente porque meus críticos estão constrangidos ou irritados com minha vitória! Como um ex-condenado, declaro que já cumpri minha pena! Libere-me rapidamente e deixe-me ir — não tenho amarras!

Atenção: *se você é um homem sem amarras*, carregue pouca bagagem e esteja preparado para mover-se velozmente! A probabilidade é que você não tema muitas coisas. Você pode parecer bastante impulsivo e viverá de maneira radical. Aproveitará sua segunda chance de vida com a garra de quem sabe quase tê-la perdido! Ninguém o conseguirá ameaçar porque você enfrentou cara a cara seu pior pesadelo e o açoitou antes mesmo de ter chegado a você!

O *homem sem amarras* que você ama se conhece melhor do que outros homens. Ele foi purificado no fogo como ouro liquefeito. Ele sabe o que tem dentro dele. Viu todas suas impurezas constrangedoras virem à tona diante de todos. No entanto, algo mais do que a fraqueza, o pecado e o medo corriqueiros borbulharam até a superfície. O calor do fogo fez emergir sua verdadeira força. O calor revela a fé. O homem sem amarras testemunhou seu fervor e seu compromisso surgirem de um escuro caldo fermentado como um Rambo usando uma faixa amarrada na cabeça! Ele entrou em modo de sobrevivência — um modo do qual a maioria dos homens nem mesmo tem consciência!

Você só entenderá o que quero dizer com "modo de sobrevivência" depois de ter sido oprimido, trancafiado numa prisão, largado para morrer ou abandonado pelas pessoas. Tendo sobrevivido a isso, você sabe que, se for necessário, "você conseguiria abrir um túnel para sair do inferno usando uma colher de plástico" se Deus estiver a seu lado!

É a essa tenacidade que chamo de "viver sem amarras". Como uma pedra lançada por uma funda, atacamos Golias sem medo. Fomos enterrados sob as correntes da vida até que o Guerreiro nos escolheu e nos fez reviver. Agora gritamos em voz alta e tempestuosamente: "Que venha! Somos homens *sem amarras*. Seguimos adiante, com cicatrizes e tudo! Algumas das faixas ainda estão penduradas em nós, mas já não nos prendem. Somos homens sem amarras!".

Estamos saindo das tumbas para estar com Jesus! Se a sepultura não nos pôde segurar, por que você acha que a politicagem ou a opinião pública desfavorável poderia conter-nos? A única ameaça que tememos é a possibilidade de desperdiçar as oportunidades e não tirar o máximo deste momento. Isso é poder em estado bruto, sem censura e sem cortes! Isso é masculinidade pura e impassível, embora possa estar embalada por um homem franzino e com óculos frágeis, ou oculta no corpo de um contador de fala mansa atrás de uma mesa atolada de papéis.

Você pode encontrar um homem sem amarras disfarçado em um grandalhão de cintura larga e muitos quilos excedentes! Não se deixe enganar pela aparência exterior. Olhe nos olhos dele. Se vir fogo, ele é um dos nossos! Estamos vivos, ressuscitados e sem amarras!

A força do homem sem amarras não está em sua estrutura física; ela flui do fogo santo que sai de seu ventre. Ele é um sobrevivente, uma estranha mistura de lágrimas de gratidão e memórias acalentadas. Ele é quase frágil. É mais sensível do que os outros que não esfregaram a cara na morte. Faz tudo com paixão; ele quer tudo, desde a sala de estar até a sala de reuniões da diretoria. É gentil e bondoso como quem já foi um paciente antes de tornar-se médico. Se você subestimar sua bondade e confundi-la com fraqueza, descobrirá chocado que ele é uma pedra santa em movimento, uma flecha em pleno voo!

4. FORTALEÇA SEUS IRMÃOS

> A multidão que estava com ele, quando mandara Lázaro sair do sepulcro e o ressuscitara dos mortos, continuou a espalhar o fato. Muitas pessoas, por terem ouvido falar que ele realizara tal sinal miraculoso, foram ao seu encontro. E assim os fariseus disseram uns aos outros: "Não conseguimos nada. Olhem como o mundo todo vai atrás dele!"
>
> Entre os que tinham ido adorar a Deus na festa da Páscoa, estavam alguns gregos. Eles se aproximaram de Filipe, que era de Betsaida da Galileia, com um pedido: "Senhor, queremos ver Jesus". (João 12.17-21)

Os inimigos de Lázaro o odiavam tanto que tramaram destruí-lo. Ele era uma peça-chave. O Diabo o havia nocauteado, mas Jesus o ressuscitara e, em consequência, inúmeras pessoas foram transformadas pelo testemunho que Lázaro dava a respeito da autoridade de Jesus! Lázaro enfrentou ataques abrasivos porque sua vida servia como catalisador para que as pessoas buscassem Jesus!

Até onde sei, Lázaro nunca pregou nenhum sermão. Ele era muito melhor do que um sermão feito de palavras; sua vida era um sermão em ação! Ele era um "sermão ambulante" que criava tumulto em toda parte. As pessoas se impressionavam ao ver caminhando no jardim um homem que fora enterrado numa tumba! Os opositores tinham tanta certeza de possuir a palavra final que, quando viram um poder mais elevado reverter a decisão e livrar a vida da morte, ficaram embasbacados.

Meu irmão Lázaro, o inimigo não quer entregar você sem lutar por saber que, quando você for libertado da morte, será um sinal para todas as gerações de que elas têm *outra opção*. O cristianismo é o verdadeiro "estilo de vida alternativo".

Quando olhamos para Lázaro, recuperamos a certeza de que servir a Deus faz a diferença.

Grandes sofrimentos às vezes nos ajudam a entender em que consiste a luta. Se você está dando o máximo para sobreviver à crise em sua vida, talvez saiba *o que* está passando agora mesmo. No entanto, é somente em retrospecto que você compreenderá *por que* está passando por isso!

Mostre-me um homem que influenciou grandemente sua geração, e eu mostrarei a você um homem que sentiu a dor dos grilhões e da tribulação. O Diabo sabia que, se todos os homens ficassem sem amarras, causariam sérios danos aos planos do inferno. E ele estava certo!

Minha coragem aumenta quando sei que estou sob sério ataque porque sou grandemente temido. Quando eu era pequeno, às vezes me metia em brigas com outros meninos. Naquela época, se um oponente tinha medo, ele trazia suas armas para o "lugar marcado" após as aulas. (Onde cresci, as armas eram uma vara ou um estilingue; como as coisas mudaram!) A preparação de seu oponente indica o que ele pensa sobre o tamanho de sua força. Se você é um molenga, dificilmente seu oponente se preparará para a luta, porque acha que você não representa problema. Se Satanás enviou contra você uma artilharia pesada, seja corajoso! Você está lutando contra um Diabo apavorado! Ele morre de medo de *homens sem amarras*!

Seu inimigo quer vencer você e tudo o que você representa, mas provavelmente gostaria de ter dominado você antes, antes que você representasse tão grande confusão! Agora, alguns dos homens mais improváveis buscarão Jesus por sua causa. Até mesmo alguns de seus velhos amigos de bebedeira e seus colegas de crime se aproximarão e dirão: "Parceiro, queremos ver Jesus!". Você é a semente, e eles são sua colheita! Não pare enquanto você não reproduzir de acordo com sua própria espécie!

"Simão, Simão, Satanás pediu vocês para peneirá-los como trigo. Mas eu orei por você, para que sua fé não desfaleça. E quando você se converter, fortaleça os seus irmãos." (Lucas 22.31,32)

Satanás quis você. Ele não estava brincando. Quis "eliminar" você e o peneirar como trigo. É aterrador pensar quão perto ele chegou de conseguir isso! *Mas Deus*, que é rico em misericórdia, salvou você.

Outros homens enterraram você debaixo do julgamento do fracasso. Seus amigos mais próximos desistiram. Depois Jesus orou e o chamou para fora da tumba de modo que você pudesse sentar à mesa com ele! Jesus orou com tanta confiança que não disse "*Se* você se converter", mas "*Quando* você se converter". Deus nunca diz "*se*" quando se refere a seu destino.

Mesmo durante os momentos mais sombrios de sua vida — uma tentativa de suicídio, uma falência, uma depressão ou um escândalo —, Deus simplesmente olhou para você com amor nos olhos e disse: "*Quando*". As únicas dúvidas a seu respeito rastejam na mente limitada dos homens. Deus as resolveu nos céus. Ele disse: "*Quando*".

Meu irmão Lázaro, você passou pelo inferno, mas conseguiu vencer! Você enfrentou um desafio esmagador, mas sobreviveu. Você estava cheirando mal, mas Deus impediu que a decomposição continuasse para que você contemplasse mais um dia. Pela graça divina, você é uma epístola viva. Toda vez que alguém o vir, sua vida gritará: "Deus é real!". Como você estava morto e agora está inteiramente vivo no corpo, na alma e no espírito, testemunhará um sólido reavivamento em sua geração! O inimigo quis exterminar sua alegria, paz e prosperidade, mas fracassou. Agora ele está desesperado, pois você é um homem sem amarras que não tem o que temer!

Sua missão está clara: volte ao terreno do inimigo! Infiltre-se no escritório, no curso de golfe, no clube de campo, na quadra de basquete e na reunião dos bêbados para levar outros homens à luz. Eles o viram em sua frustração. Agora permita que eles o vejam em sua ressurreição! Que eles saibam que você conseguiu. Diga-lhes quem o livrou de seu sono e o libertou de seus problemas.

Jesus disse a Simão: "Quando você se converter, fortaleça seus irmãos". Um homem sem amarras sempre estende a mão para os outros. Estende a mão para seu pai, sua esposa, sua família e seus amigos. Libertação sem evangelização é egoísmo puro e simples. Homens sem amarras esperam grandes colheitas. Você suportou ataques extremos para pagar o preço da colheita; é hora de colher as recompensas!

Há uma unção sobre seu testemunho, e os campos estão brancos para a colheita! Não tema homem algum, não tema Diabo algum! Diga a verdade com ousadia! Pregue o evangelho aos pobres, cure os de coração machucado, liberte os cativos e traga luz para os cegos! Você não tem nada a perder, mas tudo a ganhar: O que você está buscando? Vejo outro Lázaro saltando na direção da luz da manhã!

REVISÃO

1. Lázaro é uma prova de que Deus pode produzir um "_____" a cada infortúnio.
2. Sempre que _____ aparecia na cidade, Lázaro fazia questão de estar presente.
3. Se você ganhou uma segunda chance, não pode dar-se ao luxo de voltar para o mesmo _____ que perpetuou o problema.
4. Você precisa evitar as _____ que ajudaram o inimigo a atacar sua vida.
5. "Só apareça onde Jesus estiver" significa "Se não for para a _____ de Deus, não se envolva".
6. Dar é uma oportunidade de compartilhar os frutos de sua bênção _____ com um Deus _____, que demonstrou a você toda a sua graça.
7. "Só me sinto seguro quando estou de acordo com sua _____" é uma atitude compartilhada por todos os que já sentiram a _____ e _____ mão de Deus.
8. Verdadeiro ou falso: Você pode "encontrar outras coisas para fazer" e "interromper a medicação" quando sua condição tiver melhorado. _____
9. A presença de Deus tende a preservar nossa _____.
10. Um homem sem amarras precisa _____ da mesma forma que os viciados precisam das drogas.
11. Não somos atraídos a Jesus apenas pela _____ que sentimos em sua presença, mas também pela _____ que sentimos longe dele.
12. Verdadeiro ou falso: Se queremos reabilitar os homens feridos a nossa volta, precisamos ensiná-los a adorar. _____
13. A adoração permite um apego à presença amorosa de Deus até que sua _____ seja impressa em nosso _____.
14. "Reclinar em sua presença significa descansar em Jesus, lançando todas as _____, ansiedades e _____ sobre ele.

15. Um homem sem amarras é um homem endurecido pelos _____, repleto de cicatrizes de guerra, monumentos e _____ de sua sobrevivência pessoal.
16. Por ter desenvolvido a _____ para _____, você está preparado para fazer coisas grandiosas para Deus.
17. Verdadeiro ou falso: A ressurreição muda a maneira de reagir diante do medo e da morte: um homem sem amarras nunca mais sentirá medo. _____
18. Um homem sem amarras é uma voz vinda da sepultura do _____, resgatada para falar a sua _____.
19. Verdadeiro ou falso: O homem sem amarras se conhece melhor do que outros homens. _____
20. A força do homem sem amarras não está em sua _____ _____; ela flui do _____ que sai de seu ventre.
21. Verdadeiro ou falso: Lázaro enfrentou diversos ataques abrasivos porque sua pregação servia como catalisador que as pessoas buscassem Jesus. _____
22. Por que o Diabo não quis entregar Lázaro sem antes lutar? _____
    _____
    _____
    _____.
23. Se você está dando o máximo para sobreviver à crise em sua vida, talvez saiba _____ está passando agora mesmo. No entanto, é somente em retrospecto que você compreenderá _____ está passando por isso!
24. Mostre-me um homem que influenciou grandemente sua geração, e eu mostrarei a você um homem que sentiu a _____ dos grilhões e da tribulação.
25. Quando Deus fala a respeito de seu destino, ele nunca diz "_____"; ele sempre diz "_____".
26. Sua missão agora é sair e levar outros homens à luz. Eles o viram em sua _____. Agora permita que eles o vejam em sua _____.
27. Verdadeiro ou falso: Um homem sem amarras sempre estende a mão para os outros. _____
28. Libertação sem evangelização é _____ puro e simples.

29. Você suportou ataques extremos para pagar o preço da colheita; é hora de _____ as _____.

MAIS UM DESAFIO: Você está ao lado do Senhor que está a seu lado? Está disposto a ajudar alguém que cambaleia à beira da sepultura? Você conhece o poder da vontade de seu Mestre. Você percebe alguma pessoa para quem o Senhor está pedindo que você estenda a mão? Qual seria o primeiro passo para você obedecer a esse chamado? Registre por escrito o nome dessa pessoa e aquilo que você poderia começar a fazer por ela: _____
_____
_____
_____
_____
_____
_____
_____.

Uma palavra final

Quando terminei de escrever a última página deste livro, quis acrescentar algo ainda mais pessoal, uma palavra do meu coração para o seu, de homem para homem. Oro para que isso o abençoe e o capacite a seguir adiante, fortalecer-se e alcançar a excelência!

Querido leitor,

Eu admiro você, embora o enxergue claramente. Vejo seus pontos fortes e pontos fracos. Não importa quais sejam eles, pois o admiro por aceitar o desafio da vida e colocar-se de pé quando surge a luz da manhã! Você ouviu o som metálico da trombeta e se levantou. Você sabia que a noite havia terminado, e dormir é para os homens que não têm para onde ir.

Escrevo sobre os dias que estão a sua frente. Acorde cantando. Alegre-se grandemente por estar vivo. Antes de reclamar de suas circunstâncias, ouça com atenção os sons quando você se levanta, se estica e adentra com ousadia o brilho da manhã.

Você consegue ouvir o golpe surdo da vida pulsando com firmeza dentro de seu peito? Debaixo do rufar estrondoso de seu coração implacável encontram-se quilômetros de rodovias arteriais carregando sangue através de cada veia e levando a cada célula de seu corpo. O oxigênio circula em disparada sob sua pele, atendendo às exigências fervorosas de um corpo saudável. Você é o primeiro computador feito de disco rígido "flexível" e aplicativos invisíveis que funciona sem eletricidade, inteiramente encapsulado e compactado, absorvendo e categorizando bilhões de *megabytes* de dados. Você foi feito de modo tremendo e assombroso.

Você foi treinado nos campos da vida e forjado sob fortes pancadas. Você é um amante ardoroso que transmite cuidado terno aos quebrantados e doentes. Você lhes toca o coração e lhes acarinha a alma. Seus braços foram feitos para envolver os sofridos e abraçar os desfalecidos. Como um cabo de ligação direta numa bateria, você dá nova energia àqueles em quem toca.

Você é um pregador proclamando uma obra vigorosa e fazendo declarações poderosas. Mesmo quando seus lábios estão fechados, nós ouvimos você falar. Somos convencidos e instruídos pela centelha de seus olhos. Somos exortados e exaltados pela chama iridescente que se recusa ser apagada. Homem, adoro ouvir suas palavras!

Você é um artista que não precisa de pincel. Você captou momentos grandiosos sem câmeras e pensamentos atemporais sem caneta. Seus juízos têm enorme discernimento. Você protege e preserva os seus como um leão que anda à espreita. Está cheio de fogo que não pode ser apagado.

Viva por muito tempo, caro leitor. Cresça quanto puder! Faça tudo o que está em seu coração. Este é seu momento! Por favor, não perca essa oportunidade reclamando dos problemas. Não se distraia com as buscas triviais deste mundo. Preste atenção ao pulsar de seu coração e ao arfar do pulmão dentro de seu peito. Quando duvidar, confira: Você está vivo!

Não importa o que o tenha restringido, nem o que tenha tentado limitar e manter você na sepultura; a morte não o consegue deter. Como Jesus, você ressuscitou e está de volta. Por isso, diga a sua alma: "Vanglorie-se no Senhor!".

Por que não se orgulhar de estar vivo? Você poderia estar morto. Você poderia ser um bêbado, um fraco, mas não é. Você é durão demais para isso.

Eu o admiro porque, quando vejo suas mãos levantadas em adoração e seu sorriso com olhos marejados, eu sei... Apesar de talvez nunca vir a conhecer você pessoalmente, ou ter a chance de ouvir sua história, posso ver isso em seu louvor. Consigo ouvir isso em sua voz. Não há dúvidas: você é um homem sem amarras!

Você já está em movimento. Você já alçou voo. Aprume os ombros, acerte a cabeça, flexione os braços e, com toda a força e todo o vigor, vá em frente!

O mundo está esperando por um homem. A mulher está esperando por um homem. Até mesmo as crianças estão esperando por um homem. Eles não aceitarão um homem qualquer; estão esperando por um homem sem amarras. O mundo está esperando por *você*!

Eu acredito em você,

Bispo J.

Obs.: Deus fez uma pergunta difícil que levou bastante tempo para ser respondida. Ele perguntou ao primeiro homem: "Onde você está?". O homem não conseguiu responder, e nós também não. Foi constrangedor, mas, em retrospecto, percebemos a verdade. Nós resmungamos e murmuramos durante milhares de anos, evitando uma resposta que seria chocantemente reveladora. Queríamos responder, mas ficamos com vergonha de fazê-lo porque nossa vida era uma tremenda confusão. Agora, depois de tudo o que aconteceu, estamos finalmente prontos.

Obrigado, Senhor, por sua paciência. Agora podemos responder ao que o Senhor nos perguntou daquela vez: "Onde você está?". Nossa resposta surge saltitante, vinda diretamente da sepultura! Precisamos ficar em pé para dizer isso, Senhor. Nossa resposta está clara na luz de nosso novo dia: "Estou aqui!".

Seleção de orações para homens

Eles deviam orar sempre e nunca desanimar. (Lucas 18.1)

ORAÇÃO PELA PUREZA

Pai,

Descobri minha própria desgraça. Percebo em mim áreas que precisam ser corrigidas. Eu me recuso a colocar a culpa nas pessoas, eu me arrependo e viro as costas para essas coisas como um ato de compromisso de minha vontade.

Senhor, dê-me a graça de superar cada vício de luxúria que me escraviza. Preciso de seu toque de purificação. Quero que o Senhor lave meus pensamentos, minhas ações e até mesmo minhas memórias, para que assim eu possa servi-lo com pureza e santidade.

Sei que o Senhor Jesus morreu para me libertar de toda servidão e desejo ser livre. Obrigado por sua Palavra, que me purifica de toda injustiça. Disponho meu coração para que ele renove minha mente e escondo sua Palavra em meu coração para que eu possa servi-lo sem culpa, na liberdade e no poder de seu Espírito Santo.

Em nome de Jesus, Amém.

ORAÇÃO PARA SALVAÇÃO

Querido Senhor,

Tenha misericórdia de mim, pecador. Confesso meus pecados. Não me orgulho deles, mas os reconheço. Agradeço porque o Senhor morreu a fim de retomar para si homens que caíram e precisam de perdão. Sou um homem que precisa de perdão. Peço que o Senhor me perdoe e me purifique de minha injustiça. Faz de mim o homem que o Senhor quer que eu seja, o homem como era de seu propósito que eu fosse desde o começo dos tempos.

Senhor Jesus, eu o aceito como meu Salvador pessoal. Obrigado por salvar cada área pessoal de luta em minha vida. Eu me alegro grandemente com o fato de que seu sangue purifica meus pecados no mesmo momento em que faço esta oração e de que sou cheio da força de seu Espírito Santo. Dedico minha vida ao Senhor e me comprometo a viver todos os dias de acordo com sua Palavra.

Obrigado por me dar uma segunda chance. Agora que seu Espírito e sua Palavra reinam em minha vida, eu me levanto acima de meu passado, eu me levanto acima de meus dilemas e eu me levanto para servi-lo pelo resto de minha vida, no nome poderoso de Jesus! Amém.

ORAÇÃO PARA RESTAURAÇÃO DO CASAMENTO

Querido Senhor,

Eu me achego ao Senhor neste dia, pois sei que é um Deus de restauração, capaz de pôr no lugar tudo o que o inimigo tentou destruir. Obrigado, Senhor, por meu casamento e por dar ao relacionamento com minha esposa um novo começo.

Perdoe-me, Senhor, por não ter conseguido ser aquilo que o Senhor sempre pretendeu que eu fosse. Tome minha vida — cada pedaço de mim — e comece ali a restauração. Restaure-me ao nível em que preciso estar a fim de cumprir meu papel como marido bíblico. Restaure minha confiança e cure dentro de mim tudo o que diz: "Eu não consigo".

Obrigado, Senhor, por me dar a força e a coragem de me comprometer inteiramente com o Senhor neste momento para manter os votos que fiz quando casei e para ser o marido fiel e amoroso de que minha esposa precisa. Sei que com sua ajuda posso ser o marido que o Senhor quer que eu seja e ter o casamento que o Senhor quer que eu tenha.

Neste momento, Pai, eu perdoo minha esposa pelas vezes em que ela me feriu e peço que o Senhor cure todas as feridas originadas nessa época. Entrego toda amargura e todo sofrimento ao Senhor e me comprometo a nunca retomá-los. Também oro por minha esposa, para que ela possa perdoar qualquer ferida que abri nela, e que suas feridas também sejam curadas.

Obrigado, Pai, pela completa restauração de nosso casamento, pelo novo despertar do amor que temos um pelo outro, e por nos dar um plano poderoso para uma vida juntos! Em nome de Jesus eu oro. Amém.

ORAÇÃO PARA UM PRISIONEIRO

Meu Pai gracioso e amoroso,

Eu me aproximo do Senhor em oração. Obrigado, Deus, porque, mesmo eu tendo cometido muitos erros na vida, o Senhor é um Deus de perdão. Hoje peço que o Senhor me perdoe, e eu me comprometo a dedicar minha vida ao Senhor, a fazer sua vontade, a seguir seu plano e seu propósito para mim.

Pai, sei que o Senhor perdoou tudo o que fiz de errado, mas estou com dificuldades para me perdoar. Ajude-me, Deus, a entender que não posso mudar o que já aconteceu, mas posso mudar o que vai acontecer no meu futuro.

Neste momento entrego toda a minha amargura, solidão e baixa autoestima ao Senhor, meu Pai. Perdoo todos os que me feriram e perdoo a mim mesmo por meus erros e pecados do passado.

Por sua graça, Senhor, usarei este tempo de prisão como tempo de estudo, oração e comprometimento pessoal com o Senhor. Em vez de deixar que este tempo da minha vida seja o golpe destruidor da derrota, eu o usarei como uma pedra de apoio para maiores realizações. Também peço que o Senhor me prepare para enfrentar a sociedade e assumir a responsabilidade quando eu sair da prisão, como uma pessoa que aprendeu a lição com os erros que cometeu.

Mais do que tudo, obrigado, Deus, por me amar e olhar além de minhas falhas e ver minha necessidade. Em nome de Jesus. Amém.

ORAÇÃO PARA O HOMEM DE NEGÓCIOS

Querido Senhor,

Hoje peço que o Senhor me dê sabedoria em todas as minhas decisões, conhecimento em todas as transações que eu fizer e compreensão em todas as negociações pertinentes a meu negócio. Senhor, mantenha-me livre de ser enganado e entrar em transações ilegais, e faça meu coração andar em integridade, não importando o potencial financeiro disponível. Sei que a única maneira de eu ser um próspero homem de negócios é manter a pureza de minha motivação e conduzir meu negócio de acordo com sua Palavra. Eu agora me comprometo a agir desta maneira.

Peço sua ajuda para me afastar de todas as tentações de subir os degraus do sucesso pisando nas pessoas enquanto subo. Oro para que eu nunca fique tão envolvido em meu trabalho a ponto de esquecer que meu propósito principal está no Senhor e em ministrar àqueles que me cercam. Obrigado por sua força sobrenatural que opera em mim e vence todo estresse e toda ansiedade.

Finalmente, eu agradeço ao Senhor por abençoar meu negócio. Sei que, à medida que ponho o Senhor em primeiro lugar em todas as áreas de minha vida, e também de minha profissão, o Senhor e eu permanecemos ligados por uma aliança. Por sermos parceiros, espero que as janelas de oportunidade se abram para meus negócios e que suas grandiosas bênçãos irrompam em minha vida. Então poderei e irei abençoar outras pessoas, além de contribuir para pregar e ensinar o evangelho.

Obrigado por me ajudar a ver esta verdade grandiosa! Em nome de Jesus. Amém.

ORAÇÃO PARA O INCONSTANTE

Querido Senhor,
Eu me aproximo hoje do Senhor agradecendo por sua bondade amorosa. Agradeço porque, apesar de eu ter tomado algumas decisões erradas que me levaram para longe do Senhor e fizeram de mim um infiel, a fé ainda habita em mim e o Senhor ainda me ama.

Embora minha comunhão com o Senhor tenha sido rompida, Jesus ainda é meu Salvador. Eu me sinto pesado por causa de todos os meus pecados. Estou cansado de viver com remorso por causa do que fiz e me arrependo de meus pecados e peço perdão. Obrigado porque seu perdão e sua misericórdia não dependem de minhas boas obras e estão disponíveis para mim simplesmente por sua graça. Grande é minha alegria porque sua misericórdia dura para sempre e se renova a cada manhã!

Obrigado, Deus, por me perdoar e me receber de volta em sua comunhão. Hoje assumo um compromisso sincero com o Senhor e com sua Palavra. Obrigado por me dar seu Espírito, que me concede força e graça divinas para ficar longe das coisas da vida que já me fizeram cair.

Ajude-me a viver um dia de cada vez, confiando que sua graça e misericórdia cuidarão de mim em todos os momentos, em todas as tentações e provações. Obrigado por restaurar a plenitude de sua alegria em meu coração e minha alma. À medida que eu caminhar em comunhão com o Senhor, sei que cada ponto fraco no qual sinto insegurança e falta de realização se tornará um ponto forte por causa de sua coragem e sabedoria.

Obrigado, Deus, pela restauração de nossa comunhão e por me devolver a alegria de ser seu filho. Em nome de Jesus. Amém.

ORAÇÃO PARA O HOMEM SOLTEIRO

Amoroso e gracioso Pai celestial,

Eu me aproximo do Senhor hoje agradecendo por ser "alguém" a seus olhos. Agradeço por ser feliz e próspero como homem solteiro por causa de seu favor e de suas bênçãos sobre minha vida.

Peço, Senhor, que sature totalmente minha vida com sua presença, que me dê direcionamento e me ajude a encontrar um propósito no Senhor. Sinto dentro de mim um destino e um futuro que estão aguardando manifestar-se na minha vida e tenho segurança completa de que estou no Senhor.

Obrigado, Pai, por seu Espírito Santo, que vive dentro de mim e me dá força sobrenatural para me abster de qualquer tipo de relacionamento sexual pré-conjugal, que só serviria para destruir a intimidade e a comunhão que desfruto com o Senhor, além de servir de obstáculo para o futuro relacionamento com minha esposa.

Ajude-me sempre a ter mente aberta em relação a todos os relacionamentos, a descobrir sua vontade e a fazer o que é certo nesses relacionamentos, especialmente no relacionamento conjugal. Oro para que, se chegar o dia de eu casar, o Senhor me dê a esposa que quer que eu tenha, assim como o Senhor uniu Adão e Eva.

Enquanto esse dia não chega, Pai, agradeço por poder conversar com o Senhor sempre que fico sozinho em oração e lendo sua Palavra. Obrigado, Deus, por ser meu amigo! Oro em nome de Jesus. Amém.

GABARITO

CAPÍTULO UM
1. Infância.
2. Definição; demonstração.
3. Ausência; irresponsabilidade, silêncio taciturno ou violência.
4. a. Mostra que ele tem valor e que suas opiniões são importantes.
b. Valoriza sua forma de pensar.
c. Edifica sua autoestima.
d. Estimula sua criatividade.
5. a. Violência.
b. Introversão.
c. Perversão.
d. Autodestruição.
6. Resposta pessoal.
7. Verdadeiro.
8. Raiva.
9. Pensamentos; palavras.
10. Emoções; frustrações.
11. Inadequação; insegurança.
12. Anão.
13. Verdadeiro.
14. Caráter.
15. Sexualidade extrema.
16. Esconder; sentimentos.
17. Desenvolver empatia pelo garotinho dentro dele.

CAPÍTULO DOIS
1. b.
2. a. Neto de Saul, o primeiro rei de Israel.
b. Ele deveria ter sido o rei de Israel.
c. Saul e Jônatas foram mortos em batalha, e Mefibosete sofreu um acidente que o deixou aleijado dos dois pés.
3. a. "Lugar sem comunicação".
b. A tragédia pode impedir-nos de alcançar nosso potencial e aprisionar-nos num lugar silencioso onde ninguém consegue ouvir nossa dor nem aliviar nossa angústia.
4. Distraídos; mutilados; carregar.
5. Espírito Santo.
6. Resposta pessoal.
7. a.
8. Resposta pessoal.
9. Chegou; mesa.
10. Problemas.
11. Hipócrita.
12. Frustrados.
13. Posição; condição.
14. Feridas; falhas; cicatrizes de infância.
15. Irmão de confiança; superar; circunstâncias.

CAPÍTULO TRÊS
1. Não. Discussão do leitor.
2. Jesus.
3. Era.
4. Verdadeiro.
5. Ele os entregou a uma disposição mental reprovável, para praticarem o que não deviam.
6. Corruptos.
7. Fraquezas secretas.
8. Propósito.
9. Debilidades; vulnerabilidades.
10. Verdadeiro.
11. Porque ele sabe que tem o poder de transformá-los naquilo que ele diz que elas serão transformadas.
12. Resposta pessoal.
13. Camuflar.
14. Operar ou realizar uma cirurgia em sua vida.
15. O amigo de verdade tem amor suficiente por você a ponto de confrontá-lo.
16. Vida.

17. a. Fazer você perceber que está desperdiçando sua vida.
b. Fazer você apreciar a esposa que ele providenciou para você.
c. Fazer você entender quão abençoado é.
d. Dar-lhe a capacidade de manter-se num emprego, mesmo quando isso parece não estar levando a nada.
18. Verdadeiro.
19. Resposta pessoal.
20. Falso.
21. Príncipe.
22. Libertará; passado.
23. Resposta pessoal

CAPÍTULO QUATRO
1. Masculinidade; propósitos; Deus.
2. Imaturidade.
3. Você.
4. Discussão do leitor.
5. Gostamos; entediante.
6. Falso.
7. Verdadeiro.
8. Deveres bíblicos.
9. Celebrar.
10. Continuar; educação.
11. Mulheres.
12. Chance; mudar.
13. Quês; comos; quem.
14. Face; Deus.
15. Davi.
16. Discussão do leitor.
17. Rendeu-se.
18. Verdadeiro.
19. Saber quem Deus é.
20. Pastor; verdade.
21. Verdadeiro.
22. Segundo o coração.
23. Inspirava masculinidade.
24. Estágio.

25. a. Quando você superou seus pensamentos antigos e compreensões prévias.
b. Quando aquilo que no passado era sabedoria soa hoje como tolice.
c. Quando você já não se diverte tanto com os brinquedos do passado.
26. Quando; o quê.
27. Equilíbrio.
28. Natureza.
29. Força sob controle.
30. Espírito Santo.

CAPÍTULO CINCO
1. Discussão do leitor.
2. Odiamos; desprezamos.
3. Conselho.
4. b.
5. Ímpios; motivações ímpias.
6. Por pouco.
7. Divinamente orientada.
8. Falso.
9. Sua esposa Mical.
10. Não.
11. Direitos; justiça própria.
12. A inveja.
13. Comprometimento.
14. Celebrar; alegria.
15. Abel, Isaque, Israel, José, Moisés, Arão, Davi, Salomão, Jesus Cristo e o apóstolo Paulo.
16. Discussão do leitor.
17. Gerações.

CAPÍTULO SEIS
1. Rejeição; apatia.
2. Manter.
3. Falso.
4. Sua Noiva.
5. Reconhecer problemas.
6. Procrastinar.

7. Magoada.
8. Mover sobrenatural.
9. Esposa.
10. Atenção; afeto; proximidade.
11. Envolver.
12. Verdadeiro.
13. Descobrir.
14. Comportamento; percepções.
15. Alegria comum ou interesse compartilhado.
16. Resposta pessoal.
17. Mudanças.
18. Que seu marido estava no lugar que Deus pretendia que ele estivesse.
19. a. Apatia.
b. Inveja.
c. Zombaria.
20. Desânimo; culpa.
21. Uma discussão ventila a questão, mas uma briga levanta acusações e aponta culpados.
22. Discussão do leitor.
23. Grunhidos; gestos.
24. Falso.

CAPÍTULO SETE
1. Rejeitados.
2. Impressionar.
3. "Será que sou suficiente?"
4. Um homem que pensa ter sido chamado para mudar sua esposa em vez de entendê-la.
5. Perspectivas divergentes.
6. Lugar seguro.
7. Diferentes.
8. Falso.
9. Desgraçados; sobrecarregados.
10. Fracasso; frustração.
11. Mudar.
12. Verdadeiro.
13. Resposta pessoal.

14. Compatibilidade.
15. Eles estão lutando contra a solidão ou a luxúria; e têm medo de ficar sozinhos.
16. Aliança; casamento.
17. Ore por seu casamento, peça que Jesus o ensine a amá-la incondicionalmente.
18. Autossacrifício; submissão.
19. Você.
20. Reacender.
21. Verdadeiro.
22. No renascimento do amor, no reacender da chama, na capacidade de perdoar.

CAPÍTULO OITO
1. Descanso.
2. Injustiça.
3. Estresse.
4. Negação.
5. Para Deus, ou para a "Rocha que é mais alta do que eu".
6. Necessidade; oferta.
7. Falso.
8. Treinado; segurança.
9. Lugar errado.
10. a. Eles tendem à autodestruição.
b. Não conseguem fazer com seus dons atinjam a geração seguinte.
11. Sucessor.
12. Pais; exaustão; fracasso moral.
13. Vazio interior.
14. Vulnerável.
15. Posso lidar com isso; orgulhosos.
16. Força; relacionamento; hábito.
17. Destruir.
18. Discussão do leitor.
19. Equilíbrio.
20. Medo.
21. Discussão do leitor.
22. Dar equilíbrio.

23. Verdadeiro.
24. Nos braços do Espírito de Deus, em sua presença, em sua vontade.
25. Compreensão; cumprimento.

CAPÍTULO NOVE
1. Ser pai.
2. Ser o pai.
3. Discussão do leitor.
4. Falso.
5. Imagem; destino.
6. A comunidade *gay*, gangues e traficantes, a indústria pornográfica.
7. Chorar; forte.
8. Assumiu; responsabilidade.
9. Decepcionar.
10. Solitários; amargos; intratáveis.
11. Verdadeiro.
12. Sermões.
13. Amor; feridas.
14. Discussão do leitor.
15. Verdadeiro.

CAPÍTULO DEZ
1. Discussão do leitor.
2. Condenado; atormentar.
3. Verdadeiro.
4. Discussão do leitor.
5. Fracasso.
6. Adotados.
7. Mútua; de aliança.
8. Aprovação.
9. Afirmação.
10. Desempenho; bem-estar.
11. Realizar.
12. Verdadeiro.
13. Derrame.
14. Pontos fortes; feridas; autoestima; dignificar; capa.
15. Falso.
16. Falso.
17. Tomar.
18. a.
19. Resposta pessoal.

CAPÍTULO ONZE
1. Justiça; fugimos.
2. Maldição; pecado.
3. Cruz; Jesus.
4. Desobediência.
5. Ele se escondeu de Deus.
6. a. Destrói nossa casa.
b. Rouba de nossa esposa a intimidade.
c. Aliena nossos filhos.
d. Frustra nosso relacionamento com Deus.
7. Verdadeiro.
8. Vulnerabilidade.
9. A verdadeira adoração exige que fiquemos vulneráveis ao declarar que precisamos de Deus.
10. Salvá-la.
11. Liderem; seguem.
12. Curar; revelar.
13. Verdadeiro.
14. Discussão do leitor.
15. Medos; decisório.
16. Confrontar.
17. Falso.
18. Esperança; chance; solução.
19. Verdadeiro.
20. Você.
21. Relaxar.
22. Renovador.
23. Esforço; bondade.

CAPÍTULO DOZE
1. Entregar tudo.
2. Possessivos; mudança.
3. Competir; cultivá-los.
4. Verdadeiro.
5. Apreciar; temê-los.

6. a. Independência;
b. Capacidade de tomar as próprias decisões.
7. a. Dispensar os deveres diários e as preocupações de educar os filhos em casa;
b. Já não precisa lutar diariamente para realizar coisas.
8. Contentamento.
9. Prepare-se.
10. Riquezas; sabedoria.
11. Parte; intimidado.
12. Consumidor.
13. Verdadeiro.
14. Atribuição.
15. Falso.
16. Recompensa.
17. Estagnação.
18. Nada mais.
19. Discussão do leitor.
20. Sabedoria; força.

CAPÍTULO TREZE
1. Outras pessoas.
2. "Soltem as amarras deste homem! Deixem-no viver!"
3. Paciente.
4. Confiar.
5. Tempo; oração.
6. Insulto.
7. Graça; colaterais.
8. Ressuscitado; desamarradas.
9. Despertado; plano.
10. Ouvir; saltar.
11. Verdadeiro.
12. Enterrado; recuperação.
13. Verdadeiro.
14. Falso.
15. Verdadeiro.
16. Apoio; incentivo.
17. Discussão do leitor.
18. Consolar; criticar.

19. Verdadeiro.
20. Recusar; siga.
21. Discussão do leitor.
22. Renovação.
23. Verdadeiro.

CAPÍTULO CATORZE
1. Verdadeiro.
2. Comunicação não verbal.
3. a. Expressar nossas necessidades,
b. Articular nossas dores;
c. Descrever nossos desejos.
4. Decepcionados.
5. Afirmação; reconhecimento.
6. Falso.
7. Verdadeiro.
8. Consumiu.
9. Espontâneos; ouve, responde.
10. Oração; preocupação.
11. Quanto tempo já faz que não oramos com fervor.
12. Humanidade; autoridade.
13. Verdadeiro.
14. Entusiasmo.
15. Reavivamento.
16. Bancando.
17. Verdadeiro.
18. Avisos; confiança.
19. Respeito.
20. Brigas; discussões.
21. b.
22. Procrastinação, estado de "ocupação", esgotamento pela busca ávida por coisas, consciência dos problemas, autoconsciência.
23. Falso. (A obediência é a forma mais elevada de louvor a Deus.)
24. Verdadeiro.
25. Posição; lares.
26. a. Guiar.
b. Oferecer proteção ou abrigo.

c. Ficar de sentinelas.
27. Agenda direcionada por Deus.
28. Liderança.
29. Inseguros; estressadas; deprimidas; amarguradas.
30. Falso.
31. Progressiva; firmes.
32. a. Orar o bastante para ouvir a Deus; b. Comunicar efetivamente a visão.
33. Progressão perpétua.
34. Desgraça.
35. Discussão do leitor.
36. Resposta pessoal.
37. Físicos; espirituais.
38. Defesas.
39. Intercessão.
40. Discussão do leitor.
41. Sabedoria terrena.
42. Entender; comunicar.
43. Raízes.
44. Resposta pessoal.
45. Coração; confiança.
46. Verdadeiro.
47. Oração; conhecer.

CAPÍTULO QUINZE
1. Retorno.
2. Jesus.
3. Ambiente.
4. Associações.
5. Glória.
6. Imerecida; merecedor.
7. Vontade; segura; reconfortante.
8. Falso.
9. Ressurreição.
10. Adorar.
11. Euforia; dor.
12. Verdadeiro.
13. Imagem; caráter.
14. Preocupações; frustrações.
15. Combates; troféus.
16. Tenacidade; sobreviver.
17. Falso.
18. Fracasso; geração.
19. Verdadeiro.
20. Estrutura física; fogo santo.
21. Falso.
22. Discussão do leitor.
23. O que; por que.
24. Dor.
25. Se; quando.
26. Frustração; ressurreição.
27. Verdadeiro.
28. Egoísmo.
29. Colher; recompensas.

Esta obra foi composta em *Adobe Caslon Pro* e
Helvetica Neue LT Std e impressa por Gráfica Expressão e Arte
sobre papel *Polen Bold 70g*/m² para Editora Vida.